JN090444

14歳からの哲学サロン

〜古きをたずねて新しきを知る〜

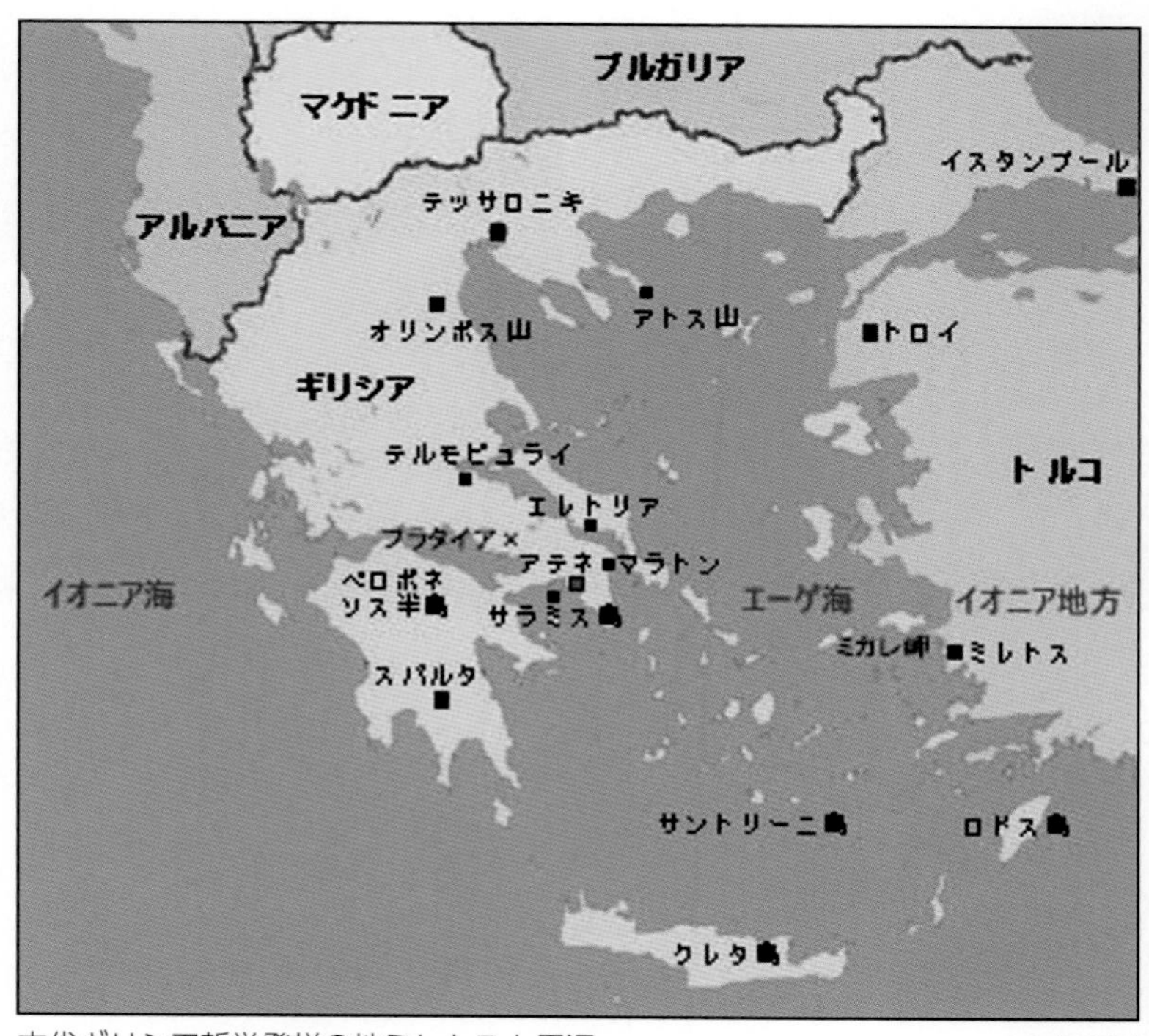

古代ギリシア哲学発祥の地ミレトスと周辺　　本文17頁

アガパンサス（鎌倉大巧寺）

アガパンサス（江の島）　（大箭晃義撮影）

本文14頁

ソクラテス　刑死のとき

本文60頁

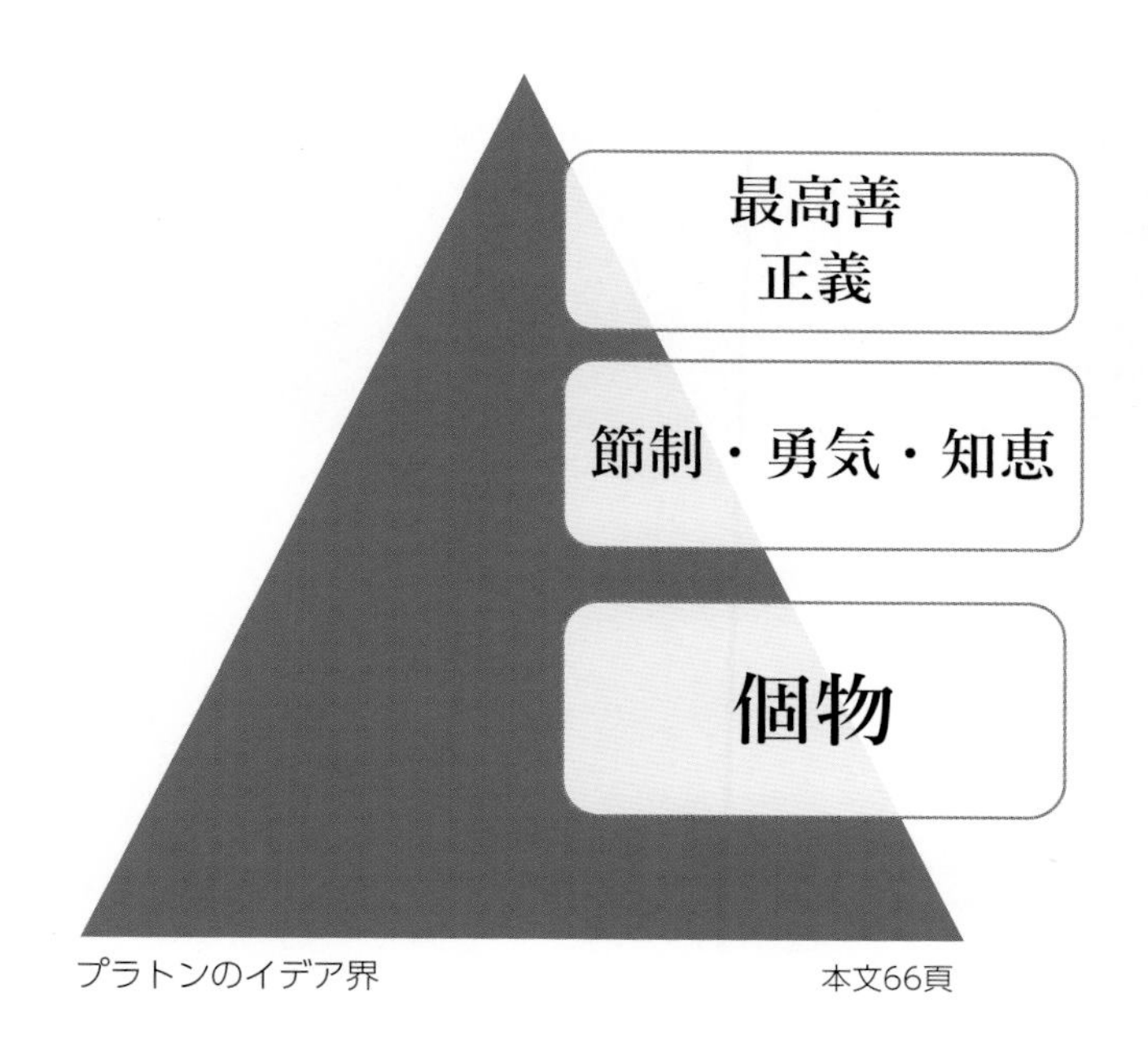

プラトンのイデア界

本文66頁

アテナイの学堂（ラファエロ1510年頃の作）

本文74頁

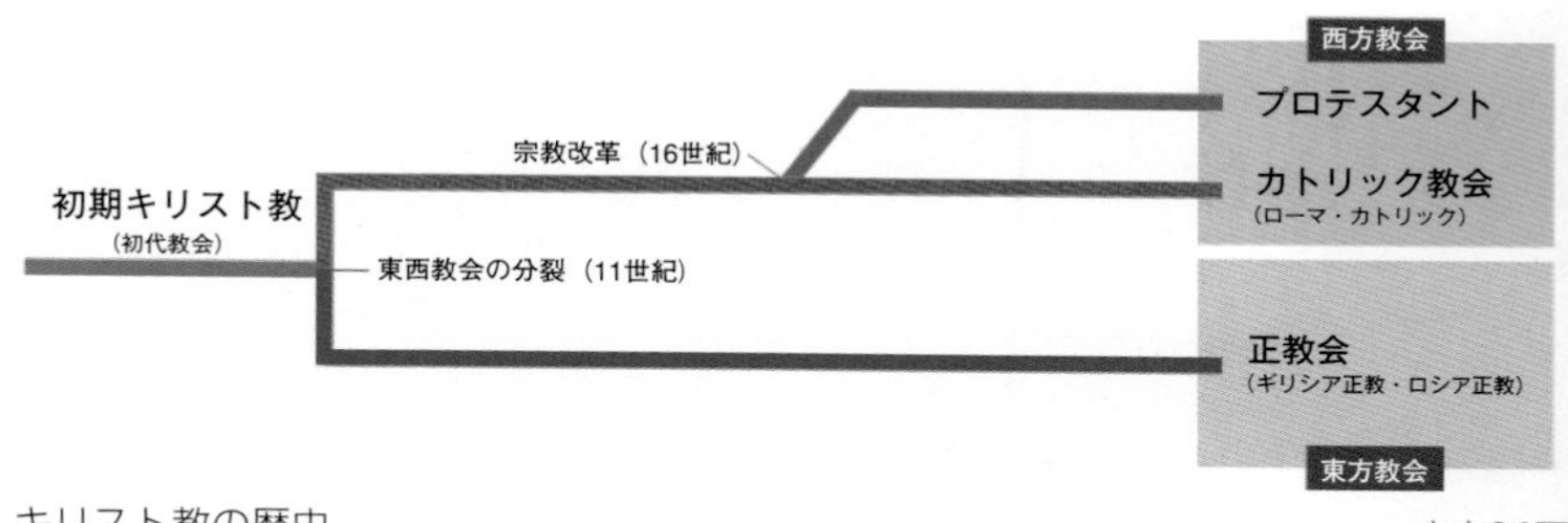

キリスト教の歴史

本文86頁

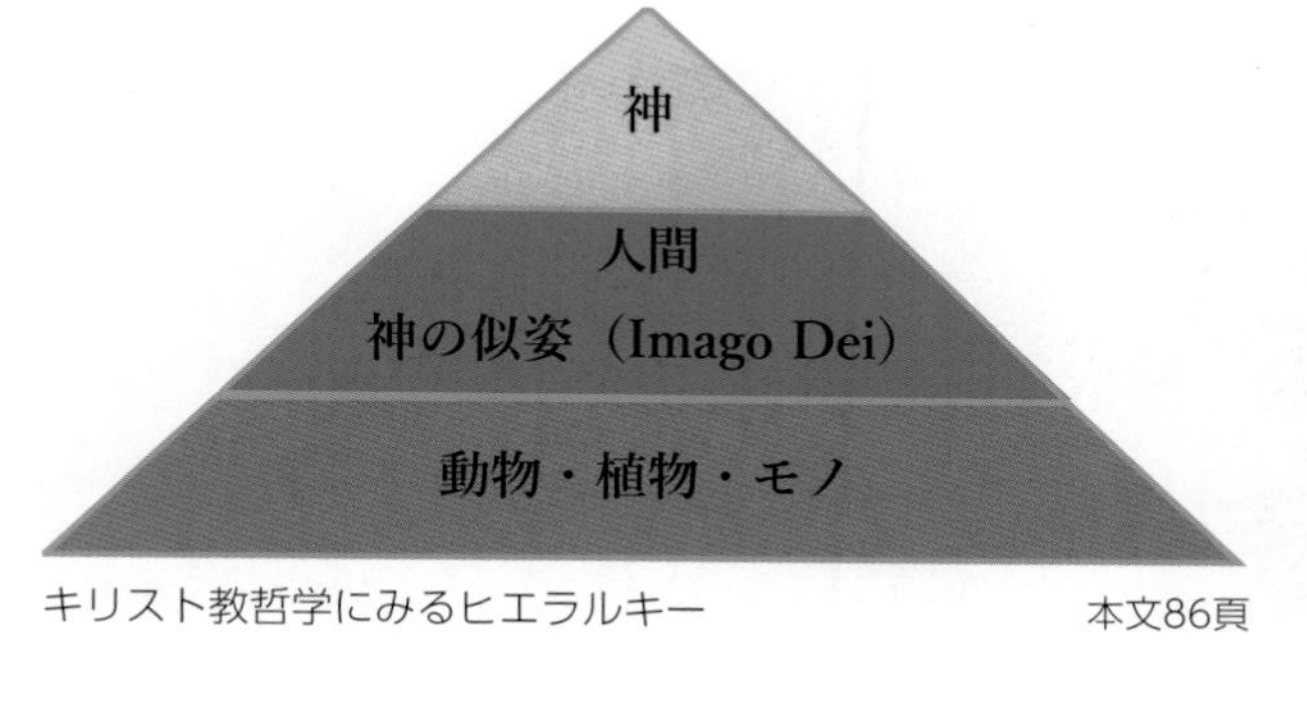

キリスト教哲学にみるヒエラルキー

本文86頁

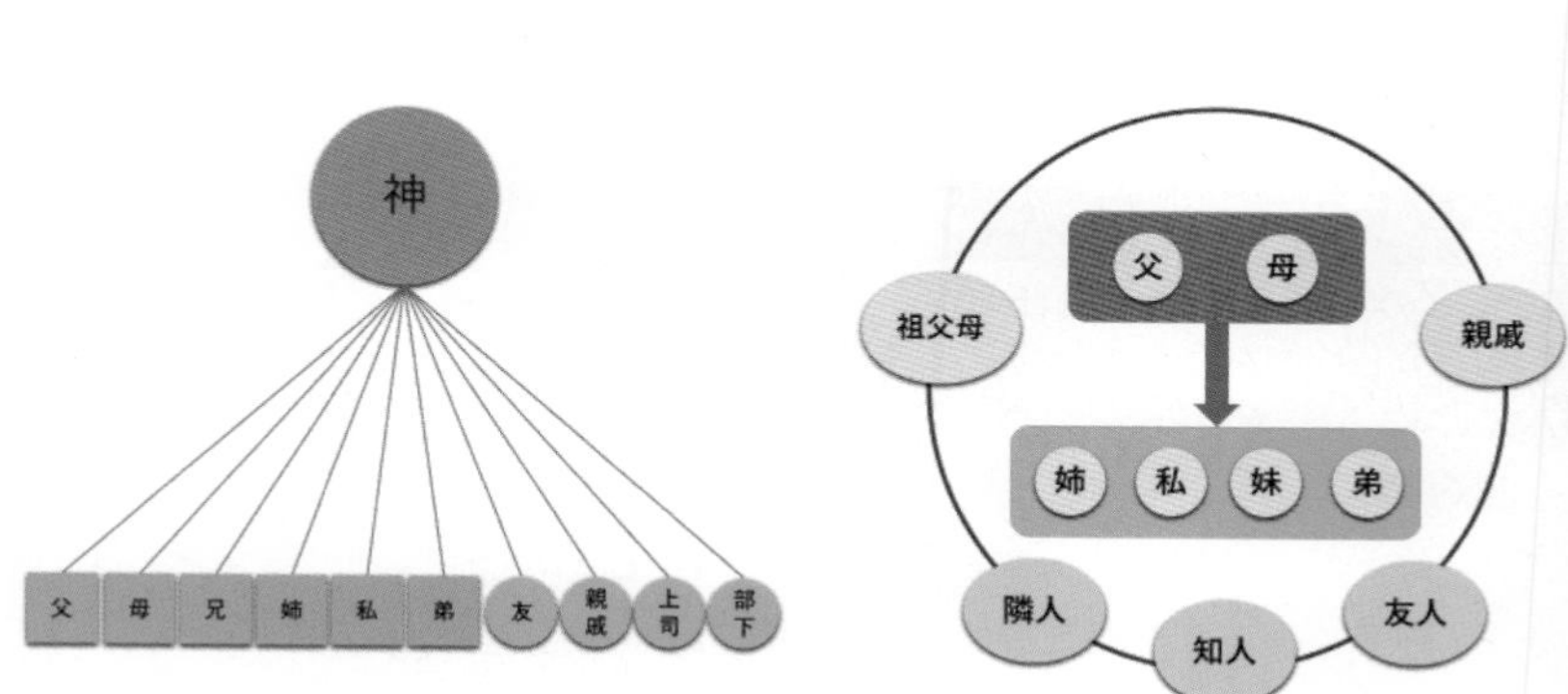

西洋と日本の家族観のちがい

本文89頁

フランス・ルーブル美術館庭園

ドイツの庭園

イギリスの庭園

島根県　足立美術館庭園

京都府　竜安寺石庭

京都府　西芳寺

本文96頁

はじめに

みなさん、こんにちは！

みなさんはパソコンやスマートフォンなどを用いて、学校の課題に取り組んだり、友達とおしゃべりしたり、一人でゲームをするなど、日々を忙しくも楽しく過ごしていることでしょう。

そんなある日、中学二年生の孫が遊びに来て、私に聞くのです。「おばあちゃん、友だちっている？　ほんとうの友だちってどんな友だち？」と。私は、「友だちは多い方だと思うけど、ほんとうの友だちねぇ……。ほんとうの友だちってどんな友だち？」と、すぐに答えが見つからず、聞き返してしまいました。おそらく孫は、学校で友人関係に悩んでいたのでしょう。

ふり返ってみれば、14歳の頃の私も、孫と同じような事で悩んだように思います。

友人については、ギリシアの哲学者アリストテレスが分類しているので、第一章で紹介したいと思います。

14歳の頃は、自分を省みる頃、言い換えると、**哲学の始まりの時**かもしれません。

それでも今はスマホで検索すればたいていの事柄はすぐに答えが見つかるご時世ですのに、孫も私も「ほんとうの友だちとは」と、考え込んでしまった有り様。不思議なギャップを感じたひとときでした。

「**14歳からの哲学サロン**」では、私たちが生きていく上で生じる事柄、それもデジタルでは解決できない事柄に触れていきます。そして柱となる**考え方**を、**西洋哲学の歴史**の中に見出したいと思います。そこには三〇〇〇年も前から、西洋の多くの哲学者が編み出してきた数々の**考え方**が詰まっています。世界が共有する人類の遺産の西洋哲学を垣間見ることは、現代の私たち日本人と異なる**考え方（思想）**、**ふるまい方（行為）**を知る手がかりとなるでしょう。思想や行為は、人々の生活をとおして見られる社会現象を理論的にまとめた「**文化**」の一面です。そういう意味で、「**哲学は文化の柱**」と呼ばれることがあります。ここでは**古代ギリシアから近世のカント哲学まで**を大まかに見ていくことにします。それ以降の哲学はまたいつか……。

西洋と日本の文化のちがいを知ることは、日本人としての自信と誇りを育てる機会になることでしょう。その上で、若い皆さんにはぜひ、西洋に一対一の友人を作ってほしいと思います。一人一人が友人を作って交流する形は、**草の根の交流**と呼ばれます。地にしっかり根付いた雑草のように力強く交流する姿を指しています。小さな交流が日本のあちらこちらに芽生えたなら、それは**平和につながる道**となるでしょう。若い世代のみなさんの未来が、友情と平和に満ちていますよう、心から祈っています。

四〇年以上もむかし、私ども一家は米国のボストンに住み、現地の人たちと積極的に交流しました。しかし自分の英語による発信力の不足や米国の伝統・習慣を知らなかったため、数々の苦い体験もしました。一方で今も交流の続く米国人一家もあります。当時のいろいろな体験は、私に実に多くのことを教えてくれました。その後米国をはじめ、ヨーロッパ・ロシア・東南アジアの友人たちと出会う機会があり、家族ぐるみの交流が今日まで長く続いています。異国の友人と直接出会って話していると、お互いに「異国の人」と感じないどころか、ただただ同じ人間なのだと感じるときがよくあります。

本書は、二〇一八年九月から二〇一九年一一月にかけて、東京都中野区内そして神奈川県鎌倉市内の会場で、それぞれ四回ずつ計八回、区民・市民の方々を対象に開催した「14歳からの哲学サロン」の実演実録をまとめたものです。書籍化にあたっては、実演の時の口語調のようにはいかないとあらためて苦労を味わいました。修正・加筆の連続でしたが、なんとか完成にこぎつけられたのは、若い世代の人たちを心から応援したいと思ったからです。

本書は、少しでも哲学になじんでいただけるよう、歴史物語を挿入しながら書き進めました。また、できるかぎり専門的な哲学用語は避けたつもりです。それでも難しい箇所があるかもしれませんが、図式化・見える化に努めましたので、理解の一助としてください。細々とした知識にとらわれず、三〇〇〇年の思想の歴史の流れを大摑みに読み進めてください。楽しみながら読んでいただけると幸いです。

令和二年夏　　板生いくえ

目次

第一章　哲学って何？

西周（1829～1897）

第一節　「哲学」の命名と意味

「哲学」と命名した人は、西周（にしあまね）です。江戸時代の末に、島根県津和野藩の藩医（藩に仕えた医者）の子として生まれました。一二歳で中国語やオランダ語を学び、二三歳の時に幕府の命でオランダに留学して、法律学・統計学・哲学・英語などを学びました。三年後に帰国して、明治政府の下で、貴族院議員・教育者・哲学者として活躍しました。あの有名な森鷗外とは親戚だったようです。「心理学」と命名したのも、西周です。

「哲学」の「哲」は、「道理に明るいこと」、「物事の筋道」という意味です。

「哲学」となると、もう少し広い意味になります。「自然や人間を支える原理を求める学」「人間が人間らしく生きていくための道徳的な規範（基準）を求める学」になります。

紀元前のローマの哲学者キケロは、「哲学は精神を耕す学」と言います。

また、一八世紀のドイツの哲学者ヘーゲルは、「哲学」を次のように言っています。

「ミネルヴァの梟(フクロウ)は、夕暮れに飛び立つ」

ミネルヴァはギリシア神話に登場する知恵と戦争の女神。その肩に梟がとまっています。

「梟は、時代の衰えを告げる女神の命を受けて、人々に警告を発するために飛び立つ」

「哲学」とは、過ぎ去った時代を振り返りその時代の精神を言語で表す学、ということになるでしょう。決して未来を予言する学ではありません。

「哲学」は、ギリシア語**philosophia（フィロソフィア）**からきています。西周は「哲学」と和訳しましたが、他にいくつか候補名はあったようです。

philosophia ＝ philo（愛する）＋ sophia（知恵）

そういう訳で、「哲学」は「知恵を愛する学」になります。

第二節　「愛」の三ランク

ここで、「愛」について説明しましょう。古代ギリシアの哲学者アリストテレスは、三つのランクに分類しています。

・アガペー（ギリシア語・agape）：「神の愛」

旧約聖書創世記の「神の愛」とは――アダムは神の命に背いて知恵の木のりんごを食べました。これが人類最初の罪（原罪）です。アダムは神の罰を受け、イヴとともにエデンの楽園を追放されます。すべての人間はアダムとイヴの子孫であるから、人間は生まれながらにして原罪を負う。それでも神は、いっさい見返りを求めず人間を愛する。

――**神と人間の縦の関係**

アガパンサス　　左：鎌倉大巧寺　右：江の島
（大箭晃義撮影）

アガパンサス（別名ムラサキクンシラン）の花を見たことがあるでしょう。
agape +anthus :「神の愛」と「花」（ギリシア語）の合成語。崇高な名前ですね。

・フィロス（philos）：友愛・隣人愛・人間愛

アリストテレスは、友人には三種類あると言います。
①役に立つ友人：自分にとって役に立つ友人。役立たなくなれば疎遠になる。
②快適な友人：機嫌のよいときは友人。しかし不快になれば離れる。
③価値観を共有する友人：両者とも、自分のためというよりも、皆のため、社会のために と考える善意の持ち主。このような友人はまれだが、友情は永く続く。

例えば、ベルリン**フィル**ハーモニー管弦楽団は、美しい音楽を奏でるには、メンバー同士の人間関係、横の関係が大切なのですね。

若いときは誰でも、①②の繰り返しではないでしょうか。生涯に一人でも、③の友に出会えると幸せだと思います。

アリストテレスは、家族愛（ストルゲー storge）もフィロスに分類しています。
「哲学」を表すフィロ（ス）も、**人間同士の横の関係**が土台になります。

・エロス（Eros）：ギリシア神話「愛の神」、ローマ神話「キューピッド」

人前でエロ（ス）を口にするのはためらいますが、語源を知ると考えが変わるかもしれません。

エロスは、ローマ神話・ギリシア神話に登場する、愛と美の女神アフロディーテを母に、鍛冶の神ヘファイストスを父にもつ、子供の神の名。あらゆるものを結合する力をもつ神です。

本能的な愛、男女間の恋愛も含みます。哲学や心理学では、別の意味もあります。

プラトン（古代ギリシアの哲学者）：真善美に到達したいと願う知的なあこがれ

フロイト（精神分析学者）：人間が潜在的にもつ性的衝動を起こさせる力（リビドー）

ユング（心理学者）：生きていく上での目標達成を目指すエネルギーの素

どれも生きていく上で自分自身に必要な**エネルギーの素**になるものですね。

第二章　神話から哲学へ

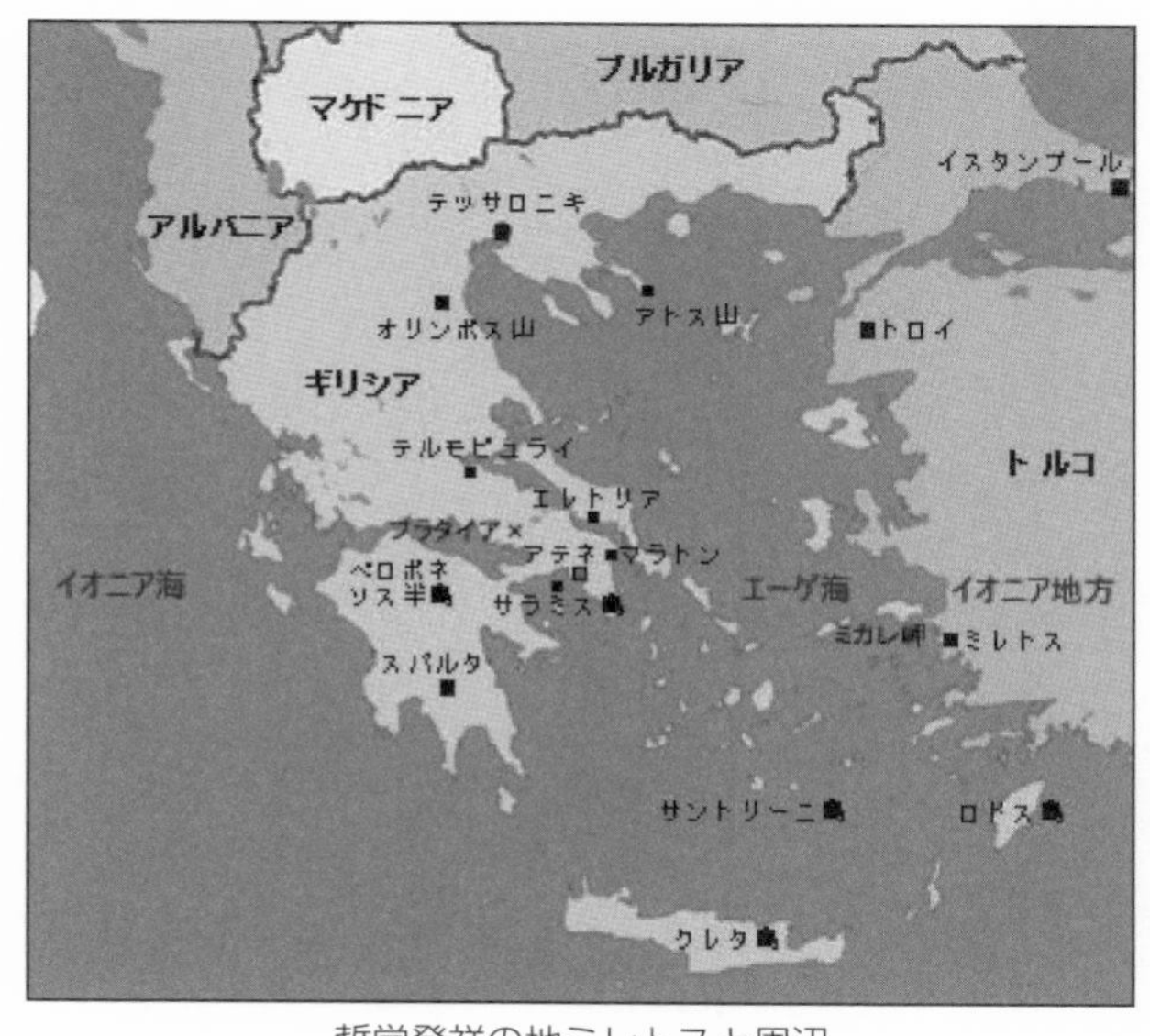

哲学発祥の地ミレトスと周辺

第一節　神話の時代

哲学が誕生する前、古代ギリシアの人々は太陽や月の満ち欠け、大雨・洪水・落雷や火山の爆発など、刻々と変化する自然現象に怯え、またある時はペスト・天然痘・チフス・麻疹（はしか）などの**疫病**で大勢の人が死んでいく現象を目の当たりにして、怖れおののきながら暮らしていました。「これは神の祟りにちがいない」と信じて、神を敬い祭る神殿を造り、助けを求める祈りを捧げて、生活の安定と心の平安を得ていました。

そのような時代に、「**ギリシア神話**」はホメロスらによって体系化されて誕生しました。**ゼウスを最高神**として多様な神々が登場します。超能力をもった英雄が次々と難題を征服する話は、当時の人々の心を映し出していたのでしょう。神話は、決して子どものおとぎ話に終わるものではなく、今日まで西洋の美術・文芸に強い影響を与えています。日常の大人同士の話の中にも比喩（ひゆ）として登場するなど、「ギリシア神話」は教養の一つとされています。

次のような話を聞いたことがあるでしょう?

・「**ナルキッソス**」:美少年が泉に映る自分の姿に恋い焦がれて、ついに水仙の花になる話
　ナルシスは「水仙」の花。英語はNarcissus、narcist(ナルシスト)、narcissist(ナルシシスト)　花言葉は「うぬぼれ家」です。

・「**トロイの木馬**」:ギリシア軍は敵を陥落させるため、夜のうちに木馬に兵を潜ませておいて、朝にトロイを破壊。伝説的な戦争の話ですが、「絶妙に相手を陥れる罠」の意味に使われます。

・「**オルフェウス**」:英雄オルフェウスが黄泉(よみ)の国にいる妻をこの世に連れ戻す時、「振り返るな」のタブーを破って悲劇の結末に。「タブーを破ると永久に機会を失う」の意味です。

神話のほかに、**ギリシア悲劇**も生まれました。三大悲劇詩人アイスキュロス、ソフォクレス、エウリピデスが有名です。当時の人々の最大の娯楽は、野外の円形劇場で悲劇詩人が競演の形で朗読する人間の悲しみや残酷さを見聞きするときでした。王侯貴族にとっては、「不死身は神のみ。どんなに身分が高く裕福であろうと、いつか人間は死ぬ」を自覚する機会となりました。「芸術は長く人生は短い」(医師ヒポクラテスの言葉)を悟る教養の場だったようです。

第二節　自然哲学の時代

一五〇〇年続いた神話の時代を経て、自然現象の合理的・科学的な説明が求められるようになりました。これが自然哲学の誕生です。紀元前六世紀、ギリシアのミレトスで誕生しました。現在はトルコ領ですが、当時はエーゲ海に面したギリシアの植民地でした。多島海（archipelago）とも称するエーゲ海は、海上交通が発達していて貿易が盛んでした。西はエジプト、北はフランス・スペイン、東は黒海に至るまで、それぞれの港では、青銅器、陶器、小麦、船舶、奴隷などの売買が頻繁に行われていました。すでに文字や貨幣も出現していて、ミレトスは異国の文化に接することでますます発展しました。

一方で、従来の伝統や習俗を批判する精神が芽生えました。これが西洋哲学の誕生です。

日本はといえば、縄文から弥生時代に変わる頃です。最古の貨幣・富本銭（ふほんせん）は、ミレトスの一〇〇〇年余り後の六八三年頃、和同開珎（わどうかいちん）は七〇八年に誕生しています。

ミレトスで誕生した哲学は「**ミレトス学派**」と呼ばれ、**タレス**が「**哲学の祖**」と言われています。

タレスは、絶えず変化する自然現象とは対照的に、変化しない根源的な物質は「水」と考えました。

詳細は省略しますが、タレスをはじめ、当時の哲学者の生活ぶりを語っておきたいと思います。

古代の哲学者の多くは「**高貴**（こうき）**な閑暇**（かんか）」と呼ばれました。裕福で暇（ひま）な貴族の意味です。ただし暇を持て余して酒盛りに明け暮れる貴族とは程遠く、高い社会的な地位に加えて、知性と徳（正しい行い）を備え、人々から尊敬される人物を意味しました。ですから「**閑暇**」は、学究の時間に費やされ、その成果は後世に伝わる偉大な発明や発見となっています。たとえば紀元前二七世紀に造られたエジプトのピラミッドは、「高貴な閑暇」の数学者が考案したと、二〇〇〇年後に生まれた哲学者アリストテレスが『ニコマコス倫理学』に記しています。

哲学者の社会的な地位は時代によって変わるようですが、今日ではどうでしょう？

第三節　世界は「存在」？「変化」？

大自然などの世界は、「**永遠不滅の存在か？**」あるいは「**刻々と生成変化するのか？**」

これから始まる世界の現象の「**もとのもの（原理）**」は、「**存在**」か「**変化**」かの二項対立の論争は、西洋の特徴的な思考法となっていきます。

世界は「**存在**」と主張した**ゼノン**、「**変化**」を主張した**ヘラクレイトス**、そして両方の説を**折衷**した**ピタゴラス**と**デモクリトス**を紹介します。

①「存在」派　ゼノン

ゼノンは、ピタゴラスの幾何の原理を用いて、アキレスと亀の競走を説明します。

＜アキレスと亀＞

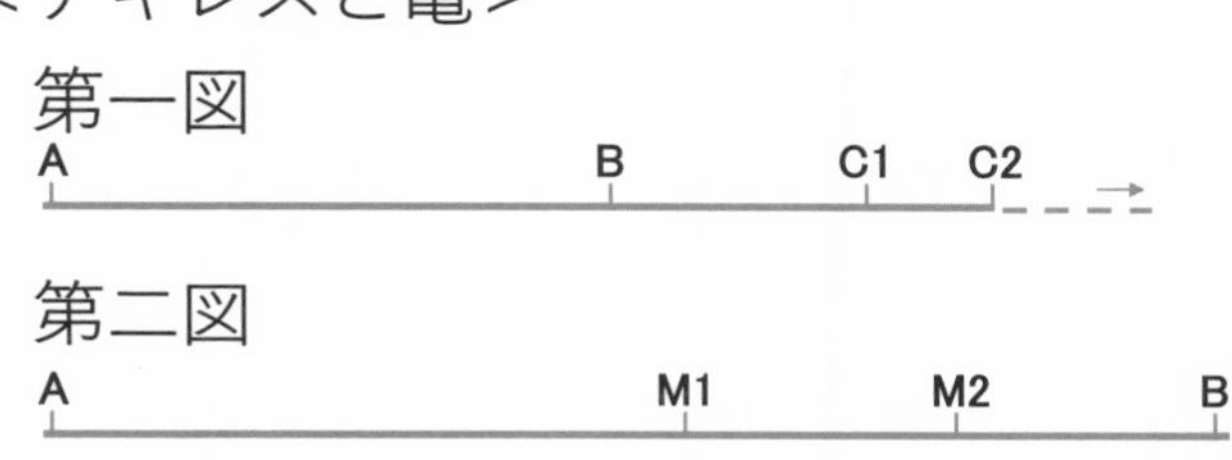

第一図の論理

Ａ点に足の速い英雄アキレスがいます。Ｂ点に亀がいる。

アキレスが、向かって右（Ｃ１　Ｃ２……の方向）に走り出してＢ点に達するとき、どんなに足の遅い亀でも点Ｃ１に達する。アキレスがＣ１に達したとき、亀は点Ｃ２に達する。

それだから、無限の線分を、アキレスがどれほど速く走っても亀に追いつくことはない。

よって、世界は永遠に「存在」する。

第二図の論理

Ａ点から一定の距離にあるＢ点まで行くには、その中点Ｍ１に達しなければならない。しかしＭ１からＢに達するためにはその中点Ｍ２に達しなければならない。こうしてＢに達するためには無限の中点を通らなければならないが、無限の中点を通るためには無限の時間が必要であり、永遠に到達し得ない。よって、世界は永遠に「存在」する。

第一図は、幾何学の原理「線分ABは無限の点でできている」にもとづきます。

第二図は、**幾何学の原理「線分は二分割法によって無限に中点で分割される」**にもとづきます。

ゼノンは、表向きはアキレスと亀の「変化」に見せかけておきながら、実のところ、ピタゴラスの幾何の原理を用いて、アキレスは亀に永遠に追いつけないことを証明してみせて、世界は永遠に「存在」し続けると説きました。

このように、「変化」の例を持ち出しておいて、その矛盾をつき、「存在」の正しいことを主張する論法は、**パラドックス（paradox逆説）**と呼ばれます。論理にねじれを含んでいます。

パラドックスには二つあります。他の人の言うことを、論理に気を付けて聞いてみましょう。
㋐表向きは正しく聞こえるが中身が矛盾している説：ゼノンの〈アキレスと亀〉の例
㋑表向きは矛盾しているが中身は正しい説：「急がば回れ」の例
（早く着こうと思うなら、危険な近道よりも遠回りだが安全な道を回ったほうが結局は目的地に早く着く。成果を求めるなら遠回りしてでも着実な方法をとったほうがよい。）

② **「変化」派　ヘラクレイトス**
ヘラクレイトスは、「**万物は流転する**」（ギリシア語：pantarheiパンタ-レイ）と説きます。
世界の根源は「火」である。火には「上り道」と「下り道」がある。
「上り道」：日照りで大地（土）が乾く↓山火事が起こる（火）↓熱い空気は気流になって

上昇→上空で冷えて水蒸気になり凝縮→
「下り道」：雲が生まれて雨を降らす（水）→雨は大地を豊かにして木々を育てる（土）→
日照り

③「折衷」派　ピタゴラス・デモクリトス

ピタゴラス：数学者として有名ですが、哲学者・宗教家でもありました。
ピタゴラスは、「世界」は、存在と変化の両方からなっていると主張します。
・音楽の世界は「**数**」でできている。**メロディー**（**旋律**）は**変化**するが、**音程は一定の法則**にしたがって**存在**している。
・星は天体の中心点の周囲を**回転**している。（**変化**）しかし一**定の距離**を保って回転する。（**存在**）

デモクリトス：世界の空間は**無数のアトム**（これ以上分解できない原子）でできている。アトムの運動で自然現象（台風・洪水・落雷など）は生じる。自然現象は、各人の感覚（目・耳・鼻・口・皮膚）によって受け止め方が異なる。（**変化**）しかしアトムそのものは何ら変わらない。（**存在**）デモクリトスのアトムの考え方は、後世の物理学に大きな影響を与えました。

このような自然哲学の論争は、一五〇年間も続きました。

哲学サロン　参加者の発言・意見コーナー

Q. 次の例はパラドックス（逆説）です。真説（本当の主張）を考えてみましょう。
①やぶ医者のいる病院はもうかる。
②名医は患者を殺す。
③「戦争反対」を唱えながら戦闘機を造る。

A. 次のような真説を考えました。他の考え方もあるかもしれませんが。
①患者はなかなか治らないのでいつまでも通院する。それだから病院はもうかる。
②名医も最初は失敗する。患者の犠牲を経て腕を磨き、多くの患者を救えるようになる。
③について、一八世紀の哲学者カントは、「戦争の準備をしている段階から戦争は始まっている」と記しています。後にまた触れますが、なんだか今日にあてはまるようなパラドックスですね。（主催者より）

Q. 私には哲学は未知の世界で、理解することは無理と思っていましたが、今日のお話はとても興味深く聞かせていただきました。いい刺激になりました。

A. 有り難うございます。これからも、皆さんに哲学を楽しんで受け止めていただけますよう努力したいと思います。

第三章　古代ギリシアの社会

哲学の初期に生まれた自然哲学は、人間の成長にたとえると、幼児期にあたります。幼児は自分の視野に入る近くのモノに興味を持ち、「これ、なーに？　あれ、なーに？」と尋ねてきますね。自然哲学も、まず自分を取り囲む外の世界に関心を持ち、世界を支配する原理を探し求めました。

14歳頃になると、人間は自分の心の中を見渡して、これまでの自分の過ごし方を反省したり、あるいは、人生の目標を考え始めたりしますね。

哲学も14歳に差し掛かりました。外の自然界から、人間の心の内面の問題に関心が移ります。これまでの自然哲学から、**人間のための哲学**に、一八〇度方向転換をすることになります。

古代ギリシアの三大哲人ソクラテス・プラトン・アリストテレスを中心に**人間のための哲学**を見ていくのですが、その前に当時の社会を見たいと思います。なぜかというと、哲学は、最初に社会があって、さまざまな問題が発生して、それで生まれてくるものだからです。哲学は、何もない「無」からは誕生しません。ですから、哲学は決して「机上の空論」ではないのです。

第一節　ポリスに生きる人たち

紀元前五世紀頃、哲学の舞台は発祥地ミレトスから、アテネに移ります。当時のギリシア全体の市民の数は三〇万人ほど。市民は三〇余りあるポリス（政治的に独立した都市規模の国家）のいずれかに所属して、つねに「ポリスの一員」としての義務を負って暮らしていました。個人に与えられた名誉はすべてポリスのもの、ポリスに役立つ市民こそ、最高最大の名誉と考えられていました。

最大規模の都市国家アテネは、市民一〇万人、奴隷一〇万人。政治・貿易・経済・文化の中心地として栄華を極め、世界で初めて民主政治（英語 democracy）が誕生したのもアテネです。しかし政治に直接参加できる権利（参政権）を持つ者は、三〇歳以上のアテネ生まれの純粋な白人の成人男子の「市民」にかぎるという厳しい階級制度が設けられていました。女性は夫の所有物、参政権は無く、家事と子を産み育てる役割のみ、社会的地位はかなり低いものでした。社会の最下層は、街のいっさいの労働生産を担う奴隷でしたが、人間扱いはされませんでした。

第二の都市国家**スパルタ**は、市民三万人、奴隷二〇万人。軍国主義の国家として将来の兵士を養育するため、子どもたちは幼少の頃から勤勉と倹約の精神で、厳しい訓練と教育を受けさせられました。「スパルタ教育」の呼び名はここから来ています。

第二節　同性愛・少年愛

当時のギリシア人の平均寿命は男性四四歳、女性三五歳、男性の成人年齢は一八歳、結婚は三〇歳前後と伝わります。そのような中、一二歳から一八歳までの少年同士の同性愛（少年愛）は、市民としての義務でした。背の高い年長の青年と、年少のほっそりした身体と美しい容姿を持ち合わせた少年の組み合わせでした。同性愛に求められたものは、肉体的・性的なこだわりではなく、心・魂・精神の清らかさ・美しさでした。というのは、都市国家の繁栄は、若い世代の精神を高めることであると考えられていたからです。少年たちの父親は、息子が品位と節制を保つかぎり、同性愛を公認していました。同性愛を経て、少年は一人前の大人になると考えられていたのです。同性愛は「恋愛」、そして結婚は「生殖行為」という具合にはっきり区別されていた社会でした。さらにアテネやスパルタでは、戦争に有利なように、戦場では同性愛者同士を一緒に配置しました。相棒に戦死されたくないですから、共に一生懸命に戦うので、自国に勝利をもたらしやすいと考えられたからです。

同性愛の文化は、ペルシア（現イラン）・トルコ・インド・中国にもありました。日本でも平安時代から明治時代まで、貴族・武士・僧侶の間では当たり前であり、むしろ崇高な趣味とさえ考えられていました。織田信長と森蘭丸の件は知られていますが、武士のたしなみだったようです。他方、欧米のキリスト教圏の一部では、同性愛は昔も今も厳しく禁止されているところがあるようです。

哲学サロン　主催者より

最近マスメディアでＬＧＢＴ（性的少数者：レズビアン・ゲイ・バイセクシュアル・トランスジェンダー）に関して、次のような事項が報道されました。皆さんはどのように考えますか？

★二〇一五年東京渋谷区は、同性のパートナーシップを「結婚に相当する関係」と認めて証明書発行

★二〇二〇東京オリンピック・パラリンピックを前に、東京都は駅のトイレなど公共の施設にピクトグラム（絵文字）で、男・女別に加えて、多目的ルームを設置すると発表

★二〇一八年お茶の水女子大学は、二〇二〇年からトランスジェンダーの学生を受け入れると発表

★ＬＧＢＴであることを口外されて、学生が自殺した事件（事件の裁判は今も継続中）

哲学サロン　参加者の発言・意見コーナー

・同性愛を取り上げるのは差別ではないか？（この意見には他に賛否両論がありました。）

・話題にして初めて今の社会の問題点が明らかになるし、同性愛の人が活躍することで、社会での受け止め方が変わってくると思う。

・結婚相手は誰を選ぼうと個人の自由である。同性愛も個人の自由であると自然に受け止める社会であってほしい。社会の多様性が言われるこの頃だが、その意味を考えたい。

主催者の感想

今日お話ししましたように、洋の東西を問わず、同性愛は古くからありました。ある時は、義務や趣味・たしなみとして、社会に肯定的に受け入れられていました。ＬＧＢＴについての受け止め方は、時代によっ

て変わるのかもしれませんが、目の前の現象を見て肯定か否定か判断するのではなく、長い歴史の中で考えてみることも大切ですね。そして生きやすい社会とは、ＬＧＢＴの人も、そうでない人も、お互いを思いやる社会ではないでしょうか。そのようなことを、オープンに話し合える機会を多く持ちたいものですね。

第三節　古代オリンピック

古代オリンピックは紀元前七七六年に、ギリシアのペロポネソス半島のオリンピア（Olympia）で誕生しました。オリンピック（Olympic）の名称はそこから来ています。

オリンピック開催の目的は、宗教上の理由からでした。マラリアや天然痘などの疫病の襲来で大勢の民衆が亡くなると、都市国家エリスの王は万策尽きて、神殿に出向き、最高神ゼウスにお告げを求めました。巫女(みこ)をとおして得られた神のお告げは、「戦をやめて、競技会を開催せよ」でした。

　このような経緯があって、古代オリンピックは、神殿のそばの広場で、四年に一回、八月の五日間を聖なる祭典とすることで始まりました。我こそはと参加希望の青年たちがギリシア全土から集まりました。そして自分たちの肉体は、最高神ゼウスに似せて作られているからと筋骨隆々を自慢しあい、一糸まとわぬ姿で出場しました。後に、全裸は危険とのことで、身体の部分を布類で覆うようになりました。

　オリンピック初日は、選手宣誓の式典と、疫病から自分たち民衆を守ってくれた最高神ゼウスに、生け贄（いけにえ）の雄牛一〇〇頭を捧げる犠牲祭が取り行われました。

　二日目から、戦車競走、五種競技（走り幅跳び・やり投げ・短距離長距離走・円盤投げ）、拳闘やレスリングの種目で競いました。最終日は、雄牛を解体して参加者にふるまう宴会と、優勝者に月桂樹（オリーブ）の枝冠を贈る儀式がありました。優勝者の栄誉は、選手個人のものではなく、出身の都市国家の栄誉となるものでした。当時の哲学者ソクラテスは、「祖国のオリンピックは、ギリシア中にとどろかせることのできる誇らしい競技」と語っています。しかし、古代オリンピックは、聖火の儀式に臨む未婚の女性を除いて、女性と奴隷は観戦すら許されませんでした。


　ところで、一一六九年間、第二九三回（紀元三九三年）まで続いた古代オリンピックですが、キリスト教の侵入により、ギリシア正教の多神教を祀る古代オリンピックは邪道だとして、駆逐される運命となりました。古代オリンピックの終焉は、同時にギリシア文化の栄光をも失墜に向かわせました。

ここで**近代以降のオリンピック**の歴史を箇条書きにしてみます。

・古代オリンピックの一五〇〇年後、クーベルタン男爵（仏）の提唱で「平和の祭典」として開催。
・一八九六年第一回アテネオリンピック開催。四年に一度、八月に開催。（世界大戦で三回中止）
・政治的な影響、資金提供国によるＴＶ等の放映権の独占など利権がからむようになった。
・（延期された）東京オリンピック二〇二〇は、一二四年目・第三二回となる。参加国・地域二〇七、参加者数一一〇〇〇人以上、三三競技、三三九種目

パラリンピックの歴史はあまり知られていないようですので、取り上げてみたいと思います。

・パラリンピック（paralympic）は paraplegia「下半身まひ」と Olympic「オリンピック」の合成語
・一九四八年第二次世界大戦で脊髄を損傷した兵士のリハビリのため、ロンドン郊外のストーク・マンデビル病院で開かれたアーチェリー大会がキッカケとなった。
・一九六〇年第一回イタリア大会、第二回一**九六四年東京大会**が開催された。
・二〇〇四年以降、パラリンピックは、オリンピックの日程に次いで開催されるようになった。
・二〇二〇年東京大会から、Para「もう一つの」を採用して「**もう一つのオリンピック**」の名称に。

残念なことに、パラリンピックの観戦者はまだまだ少ないとTVで報じられています。

日本パラリンピックの父・中村裕博士を紹介しましょう。

中村博士（一九二七〜一九八四）は大分県別府市生まれの整形外科医。一九六四年東京で第二回パラリンピックが開催されるにあたり、選手の出場に尽力しました。なかでも、障害者を観戦者の目にさらすとは、見せモノにするのかと家族や関係者から厳しい反対の声が上がった時、中村博士の障害者に寄せる誠の愛が、人々の説得につながり、参加が実現したという画期的な歴史が刻まれました。

さらにパラリンピックの後、自国に帰って通常の仕事に就く外国の選手たちを見て、日本の選手は施設か家族のもとに帰るのみという現実を知りました。

中村博士はすぐに仕事場の準備に取り掛かりました。仕事をして、賃金を得て、自立すること。

自立は、障害があろうとなかろうと、ひとりの人間として生きていく道につながるものです。中村博士は、その道を拓きました。障害者の身になって、日本パラリンピックの道を開いた中村博士を忘れてはならないと思います。

哲学サロン　発言・意見コーナー

Q. 仏教では自然は一切を包み込む世界だが、西洋は「存在」と「変化」に分かれるのか?

A. 西洋は古代に「存在」と「変化」の二項対立が生まれ、現代も二元論として続いている。西洋の考え方の特徴だと思います。

Q. NHK番組「チコちゃんに叱られる」で、動物の親子には愛がないと言っていてショックだった。アリストテレスは、動物の愛についてどのように言っているか?

A. アリストテレスの『ニコマコス倫理学』には、動物にも愛があると記されている。私もそう信じたいです! 現代の科学技術で新しい発見があったのかもしれないですが、なんだか夢を壊されたみたいですね。

Q. 同性愛や古代オリンピックは、哲学とは関係ないと思う。なぜ取り上げたのか?

A. なぜ哲学は生まれたのかを考えると、究極は人間の幸福の実現のためだと思う。当時の人々の思いや社会の状況を知ると、哲学の誕生の理由が分かるのではないだろうか?
　大学の哲学科ではもっぱら理論が主でした。哲学サロンでは、理論の支えとなる具体的な出来事を取り入れた歴史物語を挿入して、哲学をお伝えしたいと思いました。

Q. 今日のサロンでは中学で習わないことが多くて難しいところもありましたが、いろいろな考え方があって、知ることは楽しいと思いました。

A. パラドックスにしても難しかったかもしれませんが、自分の考え方の幅を広げるのに役立つと思います。これからも哲学に触れてみてください。

第四章　人間のための哲学

プロタゴラス（紀元前481頃～前411頃）

第一節　ソフィスト

ソフィスト（sophist）という語は、そのままの発音で用いられることが多いですが、本来は、知者・賢者を意味します。それがいつの間にか、いかがわしい響きをもつようになるのですが、その変化をアテネの社会に見ていきましょう。

紀元前五世紀頃の**アテネ**は、ペルシア戦争に勝利して以来五〇年間、まさに黄金時代でした。世界で最初に誕生した民主主義の政治は、家柄や財産に関係なく、三〇歳以上のギリシア人「市民」の男性なら誰でも参加でき、その中から政府の役人はくじ引きで選ばれました。

そうなると、さらに頭角を現したいと思う人が出てきても不思議ではありません。他者との差別化をはかるべく、政治家としての能力を身につけて立身出世を望むようになります。政治家にとって、議会や法廷で、人々を説得するための**弁論術**こそ、出世に有利な武器と考えられていました。

そこに登場したのが**ソフィスト**です。彼らは他の都市国家からアテネにやって来て、「青年たちを弁論に秀でた者に教育する」と宣伝して、有料で、弁論術と徳を授ける教師として地位を確保していきました。政治家を目指す裕福な良家の子弟から、ソフィストは絶大な人気を博しました。その代表格がプロタゴラス。他にもゴルギアスなど優れたソフィストはいましたが、なんといってもプロタゴラスは「当代随一の知者」と呼ばれ、彼がアテネに来ているという報せだけで青年たちを熱狂させるほど特別な名士でした。

第二節　プロタゴラス

プロタゴラスは、七〇年の生涯のうちの四〇年間をソフィストとして、青年たちを指導しました。

彼は青年たちに問います。「すべての人に共通する尺度はあるか?」と。

「**人間は万物の尺度である**」　これがプロタゴラスの答えです。「すべての人間に共通する尺度はない」という主張です。――人間の感覚器官（目・耳・鼻・口・皮膚）は、年齢・健康・気候・天候などの条件によって、日々変化する。それだから、一人一人の人間がもつ感覚（感性）は、万人に共通する尺度とはなり得ない。感覚にもとづく真理の基準は、人間の数だけ存在するのである。すべての人間はそれぞれ尺度を持っているのであり、その人間が、その瞬間に捉えたモノのみ、その人間にとって真理である。

プロタゴラスの考え方は、「相対主義」と呼ばれます。一人一人の価値を重視する立場です。逆を言えば、誰とも共有できる「普遍妥当性」の尺度は無い、ということです。

第三節　残念なソフィストたち

　プロタゴラスのような優れた哲学者がいたにもかかわらず、「ソフィスト」は、やがてアテネの青年たちの間で、「詭弁家」の意味になり、非難や軽蔑の意味が込められるようになっていきました。

　堕落したソフィストのメレトス、アニュトス、リュコンたちは、後世にまで悪名を残しています。

　後の哲学者たちは、「ソフィストは、人を欺くために語り、自分の利益をはかる者」、「都市から都市へ渡り歩いて、知識を商売にする者」、「見せかけの知識で金儲けをするのがソフィストのわざである」などときびしく非難しています。

　実際、彼らは青年たちに、「知にすぐれた人間とはどういう人間か」を問う指導をしなくなったのです。こじつけであろうと、いかにして相手を打ち負かして論争に勝つかの術のみ教えるようになったのです。以来、「一見ほんとうのように聞こえるが、中身にウソを含む論理で相手をあざむいて困らせる詭弁家」というのが、ソフィストを指すようになりました。彼らの堕落の原因は、豊かな指導料を得ることで金満家になったせいだろうと推測されています。

ところで、現代の私たちは、sophisticated manner、sophisticated technique などと耳にすることがあるでしょう。「洗練された態度、教養ある態度」、「高性能の技法・技術」の意味ですが、「ソフィスト」の派生語が、良い意味でも使われています。名誉挽回を、プロタゴラスは喜んでいるかもしれません。

第四節　ディオゲネス

ディオゲネスはトルコの北方に住んでいましたが、父親が贋金(にせがね)を造って捕えられて獄死し、一家は国外追放となりました。それで息子のディオゲネスは、アテネにやって来ました。

腰に布を巻いただけの着の身着のまま、所持品は肩から掛けた頭陀袋の中に一枚の布とわずかな食料、そして老年になって必要な杖一本でした。住処（すみか）は洞穴でした。

まさに野良犬のような生活をしていた哲学者ディオゲネスは、キュニコス学派（ギリシア語Kynik「犬のような」）、和訳「犬儒（けんじゅ）学派」の始祖です。

しかしディオゲネスの目的は、犬のような生活をすることではありませんでした。いっさいモノを持たない「無一物」の生活を自分に課することで、自分の心（精神）を鍛錬するのが目的でした。人間の作り出した文化・慣習・制度を排除して、独立・自立の強い精神で生きることが目的でした。

なぜそのような道を選んだのか？　ディオゲネスは言います。「どんなに過酷な運命に直面しても耐えられる強い精神を養うには、**災いは善である**と考えることである」と。ですから、キュニコス学派の根本思想は、「善く生きることは、徳（正しいふるまい）に従って生きること」です。

ふつう、「災いは悪である」と考えますね。ディオゲネスの説は、パラドックス（逆説）です。

ところで、ディオゲネスについて、次のようなエピソードを聞いたことがあるでしょう。

――ある日、犬のような生活をしていた哲学者ディオゲネスのところに、マケドニアのアレクサンダー大王が訪ねてきて、「何か欲しいものはないか？」と尋ねた。するとディオゲネスは、「欲しいものは何もない。いま私は日向ぼっこをしているのだから、そこをどいてくれ」

と答えて、大王を追い払った。後にアレクサンダー大王は家臣に言いました。「大王に生まれなかったなら、私はディオゲネスに生まれたい」と。――

大王にそう言わしめたほど、ディオゲネスは自分の説を徹底して、実際に行動で示したのでした。「無一物」で七〇歳まで生きた哲学者ディオゲネスは、真のキュニコス学派として今に伝わります。

哲学サロン　参加者の発言・意見コーナー

Q. ディオゲネスの「災いは善である」というパラドックスを、皆さんはどう受け止めますか?

A. 私は仕事で行き詰まると、この後にはきっと良いことがあると思って頑張る。するとほんとうに良い結果が生まれることがあります。今の状況にとらわれず、先を見ることの大切さを言っているのかもしれないと思いました。

Q. キュニコスは「犬のような」の意味だそうですが、何が犬のようなのですか?

A. 服や家財道具をいっさい持たないで洞穴に住む「無一物」の生き方が、野良犬のようなのでしょう。それに野良犬は、人間のつくった制度・規則に関係なく、食べ物も人間に頼らず、自給自足ですね。心身ともに自立して生きるという意味が含まれていると思います。

私は少しはディオゲネスを真似て、断捨離をしようと思うのですが、なかなか難しいです……。（参加者の同意がありました。）

第五章　ソクラテス

ソクラテス（紀元前470〜前399）

古代ギリシア哲学の三大哲人の最初の人の登場です。

ソクラテスは一冊も書を残しませんでしたが、高弟プラトンやクセノフォーンらの著によって、生涯がよく知られています。それらを読むと、ソクラテスはまさに西洋哲学の出発にふさわしい人物だったと思うばかりです。不思議なことに、ソクラテスとその弟子プラトン、そしてアリストテレスは、それぞれ四三歳の年の差で誕生しています。

第一節　ソクラテスとアテネの社会

ソクラテス在世の頃、ギリシア最大の都市国家アテネは、ペルシア戦争で勝利して五〇年間繁栄しましたが、次のペロポネソス戦争で隣国スパルタに敗北して陥落。社会は荒廃しました。

ソクラテスは二つの戦争も小規模な戦も体験していますが、身体は頑強で、戦場では瀕死の上官を助けた有能な兵士として功績が認められていました。

自然科学者でもあったソクラテスは、民衆を啓蒙しています。雨が降る・雷が起きるなどの自然現象を神の祟りと恐れ、神に祈りを捧げて助けを求める以外に知識のなかった彼らに、科学的な考え方を伝授しました。政治の世界では、民主国家の国民評議会審議員に選ばれ、議長をも務めた人でした。

敗戦後の壊滅状態のアテネを見て、ソクラテスは立ち上がります。最初に手掛けたことは、青年たちの教育でした。将来の社会のリーダーを育てるため、青年たちに一対一の対話を通して、「合理的な論理」の運び方を身につけさせる教育を始めました。

「合理的な論理」は「ロゴス」(ギリシア語 logos)と言います。元は、人々の話す「ことば」の意味です。他に次のような意味がありますが、哲学では、②③が多く用いられます。

①人々の話す「ことば・言語」
②「理性」(感性に左右されることなく、真偽・善悪等の判断をする能力。合理的な能力)
③「世界を支配する原理」(自然哲学者ゼノン・ヘラクレイトスなどによって使用された用語)
④キリスト教の聖書「はじめにロゴスありき」(神の言葉・子なる神の意味)

第二節　対話術

ソクラテスは不思議な少年でした。六歳頃から、心の内で、デルフォイの神殿に祀られている神ダイモニオン（ギリシア語 Daimonion）のお告げを聞く宗教的な傾向がありました。神ダイモニオンは「～をしてはならぬ」と、禁止令を告げる神でした。ソクラテスは、生涯を通して、公私にわたって、神のお告げを守り、それを行動で示した人でした。

ソクラテスは賢人であるとの評判は、すでにギリシア中に知れわたっていましたが、ある時、友人カイレポンが、デルフォイの神殿に出向いて、あらためて神のお告げを求めました。「ソクラテスよりも知恵のある者が、誰か他にいますか？」と。すると、「ソクラテスよりも知恵のあるものは誰ひとりいない」と、巫女（みこ）を通して、お告げがありました。カイレポンからこの神託を聞いたソクラテスは、自分は無知と思っていたので非常に驚きました。そしてこのお告げの謎を解くため、世間で賢人と呼ばれ、本人も賢人と信じている高名な政治家・詩人・技術者たちを訪ね歩いて、「**対話**」をしました。そして気づきました。「彼らは、人間として当然知っていなければならない一番大切な事柄を、ほんとうは全く知っていないのに、知っていると思い込んでいる」と。

ソクラテス自身は以前から、「自分は、人間として一番大切な事柄について無知である」と自覚していました。しかしあらためて気づいたことがありました。「自分は一番大切な事柄について無知であると知っているだけ、彼らより知がある」ということでした。これが「**無知の知**」です。

その後、ソクラテスはアテネの街に出向いて、青年たちと「**対話**」（英語 dialogue、ギリシア語 dialektike）をして、彼らに無知を自覚させました。すなわち、「**汝自身を知れ**」です。このような教育法は「**産婆術**」と呼ばれます。ソクラテスが命名したのですが、青年が自分のうちにすでに持っている知恵を取り出して自覚させる教育法が、いかにも母体から赤子を取り出す産婆術と似ていたからです。このようなソクラテスの教育法は、青年たちに外から知識を与えるソフィストの教育法と対照的でした。

第三節　父と子の対話

父親のソクラテスは、反抗期にさしかかった長男ラムプロクレースの言い分を聞いて、静かに応じているようです。どうやら長男は母親の態度に腹を立てている様子。ソクラテスの対話教育は家庭でも実践されていました。果たしてどのような結末でしょうか?（S：ソクラテス L：ラムプロクレース）

S「お前は、恩知らずと呼ばれる人間を知っているか?」
L「知っていますとも。」
S「ではどういう人間がそのように呼ばれるのか、よくわかっているのか?」
L「ええ、わかっています。良いことをしてもらったのに、感謝する気持ちがありながらそれをしない人を、恩知らずと呼びます。」
S「では、恩知らずは、不正な人間に入ると思わないかね?」

L「思います。」

S「では、恩知らずとは、自分の味方になってくれる人には不正で、敵に対しては正当なのかどうか、お前は考えてみたか？」

L「ええ、考えてみました。他人から良いことをしてもらって、それが友だちであろうが敵であろうが、感謝を表さないというのは、正しくないと思います。」

S「もしそうだとしたら、恩知らずは、明らかにこの上ない不正ではないかね？」

Lは同意しました。

S「ところで、子供は親から受ける恩よりももっと大きい恩を、他人から受けることがあるだろうか？　子供は親のおかげでこの世に生まれ、親のおかげで、神が人間に与えた実にたくさんの美しい物を見たり実にたくさんの善い事を楽しめるのだ。このことは私たち人間が実に絶大の価値を感じているものである。何人といえども、親への恩を失うことは避けるべきなのである。」

この後ソクラテスは、忘恩は都市国家の最大の犯罪であり、その罰は死刑であると教えています。

続けて、長男に母親の役割を伝えています。出産は女性の命がけの役割であり、出産のときの女性の苦しい様子、その後の昼夜を問わずの赤子の世話、そして無事に生まれた子供を骨身惜しまず養育し、親にできないことは費用をかけてでもその道のベテランに習わせるなど、息子に懇切に語っています。父親のソクラテスは、子供を作るのは男性の情欲からではないこと、それを満たすなら街路に商売が充ちているし専用の家もあると伝えています。

S「親は、子供から将来どんな恩返しを受けるか考えることさえせず、自分たちの子供ができるだけ立派な良い子になるよう、あらんかぎりの力を尽くすのだ。」

L「ですけれど、たとえ母さんがそれをみなしてくれて、さらにそれ以上のことをしてくれたにしても、あんなひどい性質は誰だって我慢できません。」

S「しかしお前は野獣の残酷と母親の残酷と、どちらが我慢するのに困難と思うかね。」

L「私は母親の方だと思います。うちの母さんのようなのは。」

S「母さんがそうなら、今までにお前に噛みついたり蹴ったりしたことがあるかね。野獣にそうされた人はたくさんいるが。」

L「そりゃそうですけれど、世界中のいいものを貰ったって聞きたくないようなことを、母さんは平気で言うんですから。」

S「しかしお前は小さい頃からどれだけいけないことをしたり言ったり、病気の時に夜となく昼となく母さんに心配をかけたり面倒をかけたと思うか？」

L「しかし、僕は母さんを辱めるようなことは一つでも言ったことも、したこともありません。」

S「お前が病気になれば早く治るようにと、あらんかぎりの世話をし、神様にお頼みして願をかけるのに、それでもお前は母さんを冷酷だと思うのかね？　私は思うが、もしこういう母親を我慢できないとしたら、お前は善いことを我慢できないのだ。」

L「もちろんそうじゃないです。」

S「そうすると、お前はお隣の人からも好かれようと思うのか。お前が困ったときに力を貸してくれるような人から。」

L「そりゃ思います。」

S「それなら、お前を何よりも愛している母親を大切にする必要がないと思うのか。お前は知らないのか。国家は、もし親を大切にせぬ者があれば罰を加え、その者を斥けて人の上に立つことを許さないのだ。このような人間が行う政治は正しく行われないと見るからだ。お前が父母の恩を知らぬ人間と世間が知ったら、誰ひとりお前によくしてやって感謝されたいと思う者はいないだろう。少しでも母親を粗末にしたのなら、神に許しを乞いなさい。」

父と子の対話はおそらく三〇分以上続いたでしょうけれど、ようやくラムプロクレースは落ち着きを取り戻して、反省したようです。ソクラテスは家庭でも冷静な父親だったようですが、妻のクサンティッペは、たいへん感情の豊かな女性だったと弟子のプラトンは記しています。ついでながら、父と子の対話は、自宅の中庭で行われたようです。古代ギリシアの家屋は、男部屋と女部屋それに寝室と物置というのが一般的で、窓が小さくて屋内は暗く、人々は天気の良い日は土塀と家屋に囲まれた中庭で過ごしました。男子の普段着は「キトン」と呼ばれる布一枚を身体に巻き付けたもの。それと履物のみ。ただしソクラテスは生涯を裸足で過ごしたそうです。頑健な身体と健康な心をもった人だったと伝わります。

第四節　ソクラテスの教え

ソクラテスが主張した「人間として知っていなければならない一番大切な事柄」とは、「幸福は、徳の上に築かれる」というものです。たとえお金や名誉があっても、すぐれた心（精神）を持っていなければ、それらを誤った方向に用いてしまう。それだから、最初に教育すべきは、何が正しくて、何が正しくないかを判断できる精神、つまり「理性」の教育が大切と説きました。そのうえで、「徳（正しいふるまい・アレテー：arete）は、正しい判断のできる理性の上に成り立つ」と説きます。言い換えると「**徳は知である**」、さらに「徳」とは、頭で理解して終わりではなく、行動で示さなければならないとしました。知ることと行うことは一致していなければならない、すなわち「**知行合一**」の**実践知**こそ、ソクラテス哲学の中心でした。

「知行合一」の実践知は、「人間は倫理的に生き、美徳のある人になることで、幸福は確実に得られるべきものである」と考えられ、ソクラテス自身、七〇年の生涯をとおして実践した人でした。さらに、善悪のすべてを知っているのは神のみ。人間はみな無知である。それだから「知を愛する学」、すなわち「哲学」の大切さを説きます。

当時のアテネは、日本の古墳時代に相当します。すでに文字や貨幣が誕生しており、諸外国との貿易も盛んでした。一方で戦は絶えず、法の整備は日が浅く、民衆が教育を受ける機会はほとんどありませんでした。喧嘩や殺人も多発して不衛生極まりなく、疫病にも見舞われました。そのような時代にあって、ソクラテスのような優れた哲学者は、人心を正しい方向に導く社会のリーダーにふさわしく、人々から尊敬されていました。

第五節　運命を変えた事件

やがてソクラテスをうとましく思う人たちが現れます。自分たちは愛国者であると名乗る三文詩人メレトス、政治家アニュトス、詩人リュコンは、「ソクラテスは役立たない対話を都合のいい対話にすり替え、誤った論理を正しい論理だと言って、青年たちを腐敗させる教育をしている」と、民衆の間に事実無根の悪評を広めました。さらに「ソクラテスは国家の最高神ゼウスを信じないいばかりか、神霊ダイモニオンを信じるのは、国家の反逆者である」と民衆に言いふらしました。

弟子のプラトンやクセノフォーンは主張します。「ソクラテスは日常生活をとおして、情欲や食欲を厳格に自制し、寒さや暑さ、その他あらゆる難儀に平然と耐える人であり、つねに中庸の道を歩む人であり、しかも何に対してもほんの僅かを得るだけで容易に満足のできる人です。こうした人物が、いかにして他人を不正なやりかたで教育するだろうか。ソクラテスは、青年たちに「**徳**」を念じる心を起こさせ、心して自己を修めるなら、やがて君子人（美と善をそなえた教養人）になれると希望をもたせて、多くの青年を悪徳から脱するよう導いたのである」と。

しかしながら教育のない一般民衆は、メレトス達の悪評を信じ、一緒になってソクラテスを裁判に訴えました。実はメレトスたちの本来の目的は、大衆のご機嫌を取って喜ばせておいて、自分たちが政治上の特権を得ることでした。

大衆を自分たちの都合のよい方向に引導するやり方は、大衆迎合主義（英語 populismポピュリズム）と言います。古代にかぎらず、現代でも起き得る現象です。何が正しいか正しくないのか、自分で判断することが大切ですね。

紀元前三九九年、裁判官はソクラテスに死刑を宣告しました。ソクラテスの親友クリトンや弟子のプラトンらは、ソクラテスの減刑を訴え続けましたが認められませんでした。実のところ、多くの市民や民衆から尊敬されていたソクラテスでしたので、減刑は不可能ではなかったと伝わります。

しかし、ソクラテスは法廷で、「私の信じるところは正しい」と主張し、三二章にわたる所信表明を堂々と行いました。これが裁判官たちの反感を買うことになったのです。それで裁判官たちは感情に任せて死刑を宣告しました。裁判官たちの間には賄賂（不正なやり方で他人に金品を贈ること）が横行しており、ソクラテスの死刑は彼らの意のままでした。ソクラテスの裁判を傍聴していた二七歳の弟子プラトンは、死刑宣告をした裁判官に向かって、激しい敵意をいだいて、「ソクラテスこそ真の勝利者である！」と叫びました。

死刑執行までの三〇日の間、ソクラテスの親友クリトンは、船も資金も用意したから脱獄せよとソクラテスに熱心に勧めました。しかしソクラテスは言います。「私は国が勧める最高神ゼウスではなく、自分の心の内に聞こえる神霊ダイモニオンを信じてきた。それは今も変わらないし、これからも決して自分の信念を曲げはしない。しかし、このために私は国法（日本の憲法にあたる）を破った。たとえ悪法であっても、市民はあくまでも国法に従わねばならない。もし脱獄すれば、私は国法を二回破ることになる。それはできない」と答えて、弟子たち十数人が見守る中、すりおろした毒ニンジンの入った杯を仰いで絶命しました。七〇歳の生涯でし

ソクラテス刑死のとき（J. L. ダヴィット：1787）

た。刑死の日、プラトンは高熱で臥せっていて、ソクラテスの最期を見届けていません。しかしその後、ソクラテスに関する多くの書を著しています。

生前にソクラテスは自分の胸の内を語っています。「今日に至るまでできるかぎり善い人間になろうと最善を尽くす者が、最善の生涯を送るのである。」さらに「もし私が罪なくして殺されるのであれば、正義を無視して私を殺した人々が恥辱を与えられるだろう。（中略）私は、世のいかなる人にも、ただの一度も不正を加えたことがなく、堕落させたこともなく、自分と交わる人々をますます良い人物にすることに常に努めてきたことを、後世の人々が永遠に証明してくれるだろう。」

ソクラテスは自説のとおりに生きた人でした。「善く生きることとは、善く死ぬことにつながる。人間は、死によって肉体は滅びるが、魂は消滅しない。魂は、閉じ込められていた肉体から解放されるのである。自分の心の故郷は、この世とつながっている死後の世界にある」と述べています。

哲学サロン　参加者の発言・意見コーナー

Q. ソクラテスの生き方・死に方は、強く前向きに見えますが、いかがでしょうか?

A. 1. 最近新聞で見た記事と似ていると思いましたので、お伝えしたいと思います。

在宅で最期を迎えた人の多くが「お迎え」を経験しているそうです。「お迎え」とは亡くなった親しい人が夢に現れて、病む人に語り掛ける経験を指します。「お迎え」を経験した人は安らかに最期を迎えることが多い。これは「あの世」とのつながりを実感して死を迎えることができるからである、という内容でした。

「あの世」があるのかどうかわかりませんが、私はこの記事を見て気持ちが軽くなりました。伝統的な日本の死生観だと思います。現代にも伝えられているのですね。

A. 2. 確かにソクラテスにつながる考え方ですね。死そのものに怖れを抱かなくていいような気持になりますね。私も「お迎え」を希望します。

Q. 次は「ソクラテスのパラドックス」です。どのように考えますか?

「世間には自ら進んで悪事を行っているようにみえる人がいる。でもその人は、悪と知りながら悪事を行っているのではない。悪を善と思って行っているのである。この思い違いこそ、「無知」である。「無知」は、何も知らないことではなく、何がほんとうに善か、あるいは悪かを知らないことである」というものです。

A. 「無知」が悪を引き起こすとのことですが、昔実際にあった連続殺人事件を思い出します。極貧の少年時代を送った青年が死刑を宣告され、執行前に『無知の涙』という本を書き残しました。少年はある日、隣家のニワトリを盗みます。それを物陰から見ていた母親がまったく自分を非難しなかったので、自分は悪事をしたという意識が無いまま成長したと記してあります。その延長で、自分は何人もの人を殺してしまったと。このことから、善悪を判断する力は、幼少の時のしつけ、教育が必要なのだと感じます。「ソクラテスのパラドックス」は、真実を語っているように思います。

第六章　プラトン

プラトン（紀元前427〜前347）

第一節　生い立ち

プラトンはアテネの名門の家系に誕生しました。二〇代の頃は政治家か官僚を目指していました。ペロポネソス戦争（前四三一～前四〇四）でアテネがスパルタに敗北し、政治も法律も風俗習慣も回復の見込みがないほど壊滅状態にあるのを目の当たりにして、国の復興を考えました。それでも一緒に活動する信頼できる仲間が見つからず、時機を待つことにしました。そのような時、以前から交流のあったソクラテスの悲劇的な事件が起こりました。毎日裁判所に通って訴訟の成り行きを見守り、陳述を傍聴したプラトンは、この時、迷うことなく哲学の道を志す決意をしたとのことです。

四〇歳の頃、アテネ郊外に学校「アカデメイア」を設立して、研究・指導に当たりました。ソクラテスの一対一の対話形式の教育と対照的に、プラトンは、一度に集団を受け入れて永続的に教育する形式をとりました。教え子から多くの俊才が輩出しましたが、のちにプラトンの弟子となる哲学者アリストテレスは、九〇〇年間続いた「アカデメイア」の「学園の頭脳」

と賞賛された人物でした。「アカデメイア」は哲学とピタゴラスの数学を重視しましたが、プラトンの念願は、哲学と政治の一致でした。しかしながらプラトンやアリストテレスの亡き後、キリスト教主義の東ローマ帝国の侵入により、「アカデメイア」は、ギリシアの文化とともにピリオドを打つことになりました。

第二節　イデア論

ソクラテスは「徳とは何か」を問い、提起しました。弟子のプラトンは、師の定義をさらに問います。「いかにして徳を知り得るか」、「いかにして徳の認識は成立するか」と、「徳」そのものの根底を追究することを自分の哲学としました。

「イデア」は、プラトン哲学の中心概念です。「理性」(理念・理想)を意味します。「理性」

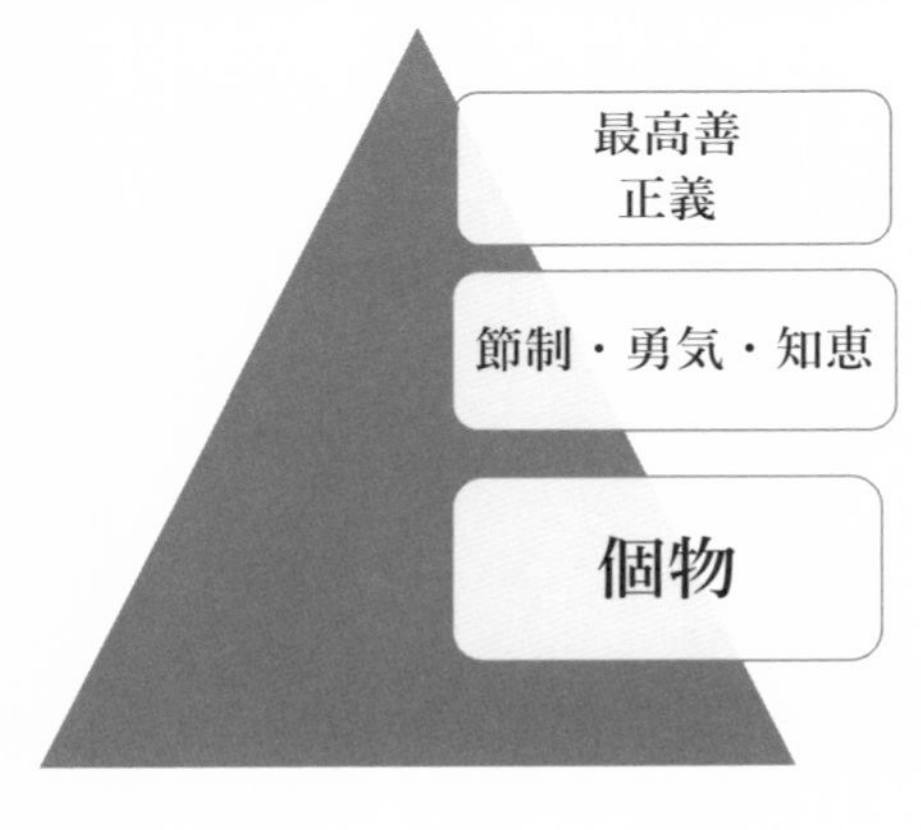

プラトンのイデア界

は、私たちの感性（目・耳・鼻・口・皮膚）ではとらえられない世界にあるものです。私たちの頭の中でのみ考えられる観念と言ってもいいでしょう。ですから「イデア」とは、この現実の世界にあるすべてのモノ（個物）の価値を判断する時の基準となるものです。そしてそれは、誰にも共通する、決して簡単に変わりようのない、不変不滅のものを指します。

「イデア」は、私たちの誰もが生まれながらに持っているものである。しかしながら、日頃は思い出さないこともあるので、訓練や教育によって育まれねばならないと、プラトンは言います。

例えば、何か悪い事をして両親に叱られたとき、自分はほんとうに悪いことをしたと反省し、もう二度とこのような悪事はするまいと心に誓い、両親に謝る場合、あなたは、自分自身の中にすでに道徳的な基準を想い起こさせる「イデア」を持っている証拠です。でも人によっては、幼少時に、「イデア」が身についていなくて、訓練や教育が必要ということもあります。

プラトンの「イデア」界を図式にしてみました。頂点は「最高善」です。神に匹敵するような場です。ここに到達するまでに、人間はいくつかの「徳（正しい行い）」を経なければなりません。

日頃は感性のままに気ままに、モノ（個物）を相手に過ごしている人間は、「節制」「勇気」「知恵」の「徳」を積むことから始めます。さらに自分中心の考えを乗り越えて、世の中を広く公正に見る「正義」の徳を養います。そしてついに社会のリーダーにふさわしい徳「最高善」を目指します。これらの「徳」を認識できるのは、人間が生まれながらに徳の「イデア」を持っているからなのです。

「イデア」は、道徳的な規準のほかに、数学・幾何学や芸術等の分野でも求められるものです。たとえば「正三角形」の「イデア」は、「太さ（幅）をもたない直線」の定義に沿ったものを指しますが、私たち人間は実際にはそのような「正三角形」は描けませんね。でも頭の中では「正三角形」の「イデア」をいくらでも描けますね。それは私たちがすでに「正三角形」の「イデア」を、学校で習って知っているからです。風景画も、風景の「イデア」のとおりに描けないのも、同様のことが言えます。

プラトンがこのような「イデア」界を主張したのには、理由がありました。ポリス（都市国家）の政治を良くするためでした。そのためには、市民を善き人間、正しいふるまいをする人間に教育する必要があったのです。「哲学者はそのために最大の心遣いをなすものである」と記しています。

プラトンのイデア論は、決して空虚な論理ではないのだということが伝わってきそうですね。

私たちが使っている言葉には、プラトンの「イデア」「アカデメイア」、著書『シュンポシオン（饗宴）』から来ている語があります。紹介しましょう。

・イデア：idea（英語アイデア）　idealist（理想主義者）

・プラトニッククラブ：platonic love（肉体を離れた精神的な愛）　今は死語でしょうか？

・アカデミー：academy（学園・専門学校）（プラトンの学校アカデメイアAkademiaに由来）

・シンポジウム：symposium（討論の一形式）『饗宴』（飲酒をしながら討論する習慣があったことに由来）

第七章　アリストテレス

アリストテレス（紀元前384〜前322）

第一節　生い立ち

アリストテレスは、医者の家に生まれました。父親は隣国マケドニア王の侍医、母親も医者でしたが、両親共に早世しました。

一七歳頃にアテネに出て、プラトンの学校「アカデメイア」で二〇年間学びました。ギリシア中の若者の憧れのアカデメイアで、アリストテレスは「学園の頭脳」と称讃されたことは、すでに述べました。

三七歳のとき、マケドニア王の招きで一三歳の王子アレキサンダーの家庭教師になります。王子とは、後に東方遠征で知られるアレキサンダー大王のことです。

アリストテレスも、学校「リュケイオン」を創設しましたが、アレキサダー大王の急死で、アテネには反マケドニアの気風が高まりました。マケドニアと縁のあったアリストテレスは、迫害を警戒して、母の生地カルキスに去り、翌年そこで六三歳で病没しました。

第二節　万学の祖

アリストテレスは、学問を分類し体系化した最初の人、「万学の祖」と称されます。分類は、次の三つの原理にもとづいています。

①知をめざす理論学：自然学・数学・論理学・第一哲学（神学・形而上学）

「形而上学」は、現象の背後にある永遠の存在を探究する学。哲学とほぼ同一視されます。

②行為をめざす実践学：政治学、家政学、倫理学、土木工学

③創作をめざす制作学：文芸学・音楽・詩学、芸術・彫刻・修辞学（文の効果法の学）

「**カテゴリー category**」という語は、西周が「範疇」と和訳していますが、アリストテレスが最初に用いたと伝わります。哲学では別の意味もありますが、一般的には、「同じ種類のものが所属する部門」を指します。

Ph. D. は **Doctor of Philosophy** の略です。文字通り訳すと、「哲学博士」です。

アリストテレスの時から近世まで、「哲学」philosophyは、「高等な学問」あるいは「総合科学」の意味でした。ですから、すべての学は「哲学」に所属していました。やがて哲学から一つ一つ分科していき、学として成立していきました。一八四〇年代に最後に分科した学は、「心理学」です。ドイツの哲学者カントの一声で、分科したと伝わります。「心理学」も、西周が命名しました。

第三節　「形相」と「質料」

プラトン哲学は、「感性」界の人間が、天上界の「イデア」を求める縦の方向を目指すとすれば、アリストテレスの哲学は、「形相」と「質料」の関係が、どこまでも地を這うように、横方向に運動・発展する哲学と言えるでしょう。そういう訳で、プラトン哲学は理想主義、アリストテレス哲学は現実主義と、しばしば対照的に見なされています。

アリストテレスの「形相」と「質料」の関係を、「机」を作る場合で考えてみましょう。

個物（モノ）の「机」は、材料「質料」と、机の設計図「形相」が必要です。

①個物「机」は、設計図「形相」を参照して、材料「質料」を組み立てて、完成します。

②「机」は経年劣化しました。そこで、より高級な個物「机」を作ります。より高級な「質料」を求めて、より高度な「形相」に沿って、より立派な「机」を作りました。そしてそれをさらにどこまでも永遠に繰り返します……。

「質料」と「形相」が、どこまでも永遠に運動・発展していくと、「形相」はまったく「質料」を含まない純粋な「形相」に行き着きます。一方、「質料」もどんどん発生源までさかのぼると、まったく「形相」を含まない純粋な「質料」に行き着きます。

言い換えると、材料を全く必要としない「机」、設計図を全く必要としない完全無欠の完璧な机を作るなんて、人間にはとうてい不可能なことです。「神」のみ可能である、とアリストテレスは結論づけます。なぜなら、「神」は、純粋な理性と考えられているからです。

アリストテレスの説のように、「質料」と「形相」は、神を目的として運動・発展していくとする考え方は、「目的論的世界観」と呼ばれます。「目的論的世界観」は、一六世紀に自然科学者のガリレイが出現するまでの二〇〇〇年余りの間、西洋の自然観（自然の見方）として定着していました。自然現象も、人間の行為も、個物も歴史も、神を目的として発展し、神に導かれているとする考え方です。

アテナイの学堂（バチカン教皇庁蔵）

古代ギリシア哲学を終えるにあたって、一五世紀のルネッサンス期の画家・ラファエロ・サンティの作品「アテナイの学堂」を見てみましょう。オールスターともいえる哲学者の登場です。

哲学サロン　参加者の発言・意見コーナー

Q. アテナイの学堂は、古代ギリシア哲学のオールスターが登場している絵ですが、プラトンとアリストテレスはわかりますか？

A. 1. 中央の二人がプラトンとアリストテレスです。天を指しているのが理想主義のプラトン、現実主義のアリストテレスは地面を指しています。プラトンから向かって左の四人目がソクラテスだと思います。対話の最中のようですね。

A. 2. たぶん、手前に野良犬のようにだらしなく座っているのがディオゲネスですね。

Q. 古代ギリシアの哲学は後世に影響を与えたのですか?

A. はい、与えています。プラトン哲学は中世のアウグスティヌスや近世のカントに、アリストテレス哲学は、中世のトマス・アクイナス、近世のガリレイなどに影響を与えています。西洋哲学は、歴史的な流れが系統的に体系化されているので現代にまで受け継がれています。(日本は個々に優れた哲学者が輩出していますが、残念ながら体系化されたものがないので、「日本哲学史」は誕生していないのです。)

Q. アリストテレスの「形相」と「質料」は、プラトン哲学に置き換えるとどうなりますか?たとえば、頭の中で「机」の設計図を描いている「イデア」の段階は、アリストテレスの「形相」になるのではないですか?両方の哲学者の用語が統一されていると理解しやすいと思うのですが。

A. 確かに用語が統一していると理解しやすいですね。それでも「イデア」は、個物(モノ)とは独立してあるもの。「形相」は「質料」と分離できない関係で、個物の中にあります。ですから、「机」の「イデア」は理想形です。でも、実際に紙と鉛筆で「机」を描き始めた途端、「机」は「イデア」から切り離されてしまいます。一方で、「机」の「形相」は、個物の中で、「質料」とともに存在しているものです。

哲学者は、自分の説を緻密に厳密に表現するために、独自の造語を生み出すことが多々あります。ですから、「イデア」と言えば、プラトン哲学と分かるような便利さも、学ぶ側にはあるんですよ。

Q. 心理学に興味があって図書館に行ったとき、たまたま隣の棚にプラトンの「イデア」という文字を見て手に取ってみました。今日は少しでも知りたいと思って参加しました。難しいところもありましたが、これからもいろいろ知ってみたいです。

A. 中学生がプラトン哲学に関心を持ってくださって、とても誇らしく、うれしいです。これからも関心を持ち続けてください。いつかいろいろ疑問が解ける日が来ると思います。

第八章　中世のキリスト教哲学

アウグスティヌス（354〜430）

中世は、五世紀にゲルマン民族が大移動して西ローマ帝国を陥落させた歴史に始まり、一三世紀末のルネッサンスの誕生まで続きました。また、一〇九六年から一三世紀末までに七回もあった十字軍の遠征は、イスラム教を討伐して、キリスト教を普及させるための戦でした。戦争と宗教と疫病は、古代から途切れることなく人類の歴史に登場しています。古い時代を訪ねて現代を知りましょう。

第一節　ユダヤ教とキリスト教

古代ギリシア時代に続くヘレニズム・ローマ時代は、度重なる戦や疫病などにより、民衆はいよいよ不安定な社会に生きる日々となりました。自分たちの生活の安定と心の「安心立命」を、もはや理性的な道徳哲学にではなく、宗教に求めるようになりました。

こうして宗教を受け入れる地盤が作られていきますが、異教を排除して、キリスト教を普及させる勢いは一〇〇〇年余り続くことになります。

キリスト教とその基盤となったユダヤ教との関係を見てみましょう。

紀元前一三世紀頃に誕生したユダヤ教の律法は、ユダヤ人の風俗習慣に沿った法規・儀式であり、ユダヤ人のための宗教であり、決して異民族の宗教にしてはならないと規制していました。しかも律法はあまりにも複雑でエリート向きと見なされ、民衆の宗教とはなり得ていませんでした。

そのようなユダヤ教徒を前に、キリスト教の開祖イエス（紀元前四～後二八）は告げます。キリスト教はユダヤ教のメシア（救世主）の思想を継いでいること、自分は神から遣わされたキリスト（救世主）であること、神の国の到来の近いこと、そしてキリスト教の中心は愛であり、ただ心から神を愛し、すべての人を愛しさえすれば、階級の別なく誰でも救われると説きました。

しかしイエスの在世中は、キリスト教に回心するユダヤ教徒は少なかったようです。

ところが、イエス・キリストが十字架にかけられ、三日後に復活した出来事が様相を一変させました。イエスの処刑は弟子たちに大きな打撃を与えたものの、イエスの復活によって大きな力を得たのです。なかでも特にパウロの回心はよく知られています。パウロは元ユダヤ教徒でしたから、キリスト教徒の迫害運動に加わっていたのです。しかしイエス・キリストの復活を信じて回心して、その後ローマ帝国全土にキリスト教を普及させるため、生涯を伝道に捧げました。パウロこそ、真にキリスト教を世界宗教にまで広めた人として、現代にまで伝わります。

キリスト教はその後もさまざまな迫害に屈することなく次第に勢力を得ていきます。三九五年には東ローマ帝国の国教となり、政治的な権力とも結びついていきました。権力に加え、アレクサンダー大王の遠征以来、ギリシア語が東地中海地域の共通言語になっていたことが信徒の獲得に優位に働き、すべての異教は排除され、キリスト教は速やかに他の国々に伝播していきました。

第二節　アウグスティヌスと教父哲学

初期キリスト教会最大の思想家アウグスティヌス（三五四～四三〇）は、最初はキリスト教を弁護するため、次はカトリック教会の教義（信仰上の教え・ドグマdogma：ラテン語）を確立するため、古代ギリシア哲学にもとづいて、教父哲学（キリスト教哲学）を確立しました。

教父とは、教会の指導者のことです。

四世紀頃の東ローマ帝国は、キリスト教の勢力が増大して教会が多く建てられるようになりました。そこに問題が生じてきました。信徒がどこの教会に所属しようと同じ教えを受けるには、すべての教会に共通する教義が必要になったのです。そこに登場したのが、教父アウグスティヌスです。

ローマ皇帝はしばしば宗教会議を開き、キリスト教の重要な教義は、三**位一体説**（父なる神・子のキリスト・聖霊は、唯一神の三つの位格・ペルソナ）、**神人説**（キリストは神にして人間）、そして**原罪説**であると決定しましたが、原罪説の教義の完成が待たれました。

旧約聖書創世記の**原罪説**はすでにお話ししましたが、神の命に逆らって「原罪」を犯したアダムは、罰として、イヴとともにエデンの園から追放されました。すべての人間はアダムとイヴの子孫であるから、生まれながらに原罪を負うというものでした。

教父アウグスティヌスは、キリスト教の「原罪説」の真理を確立するため、プラトン哲学の「イデア」を用いて完成させます。最初は、すべてを「疑うこと」から出発します。

――私たちは原罪が真実かどうか疑う前に、すべてのものを疑う必要がある。私たちはすべてを疑うことができる。しかしどうしても疑うことができないものがある。それはすべてを疑っている「私」である。「私」こそ、確固とした真理の基準（イデア）である。――

プラトンの場合、「すべての人間はイデアを生まれながら持っている」と主張しましたが、アウグスティヌスは、「イデアは神にある」と言い張ります。そして、「神のイデアが人間の心を照らすから、人間は原罪を意識できる。そして原罪を意識できる場所は教会である。教会において、人間は、キリストの贖罪によって、神が人間の原罪を許したことを、キリストに感謝しなければならない」と説きます。こうして「原罪説」は確立しました。三つの教義は完成して、今日まで受け継がれています。

第三節　トマス・アクイナスとスコラ哲学

スコラ哲学は、イタリアのトマス・アクイナス（一二二五～一二七四）が修道院付属の学校（スコラ schola：ラテン語）の教師だったことから名付けられました。アウグスティヌスから八〇〇年余りを経て、トマス・アクィナスは、アリストテレス哲学の「質料」と「形相」を用いて、「神の存在証明」を試みます。神はほんとうに在るのか否か、の証明です。

アリストテレスの「質料」と「形相」は、個物（モノ）の中にあって、運動・発展して、ついに「神」に到達するという説でした。トマス・アクィナスは、アリストテレスの説を踏襲します。神は、すべての個物（モノ）の究極の目的であり、すべての個物の始まり（第一原因）である、と説きます。

トマス・アクィナス
(1225〜1274)

それではここで、神は在るのか否か、私たちも確かめてみましょう。

例えば、次のようなやり取りをしたことがあるでしょう。

A「あなたは誰から生まれたの？」、B「お母さんから生まれた」、A「お母さんは誰から生まれたの？」、B「おばあちゃんから生まれた」、A「それじゃ、おばあちゃんは誰から？」、B「そのまた上のおばあちゃんから生まれた」と、切りなく続きそうですが、ついに答えられなくなって、「そんなことわからないよ。神様だけが知ってるんじゃないの」と答えて終わりになったこと、あるでしょう？

トマス・アクィナスは、個物の始まりと終わりは、人間には分からないのだと断定します。それが、「神は存在する」の証明であると主張しました。
そんな簡単な証明で、と拍子抜けするかもしれませんが、現代の科学者にしても、地球の始まり、あるいは終わりを問い続けていくと、実のところ、答えられなくなるのです。なぜかというと、自然や個物などの究極の原因や結果は、人間にはとうていわからないもの、言い換えれば、神が創ったのだから、と考えるほかないのです。
トマス・アクイナスは、神は一切のものの創造者であり、神は叡知（えいち）によって、最もよい世界を創造したのであると説きました。

トマス・アクイナスは「神の存在証明」を理性的に証明してみせましたが、三位一体説・神人説については、哲学的（合理的）に証明することは不可能であり、ただ信じることによってのみ可能と結論づけました。このことから、「**信仰と哲学は一致しない**」、さらに「**哲学は神学の奴婢（ぬひ）である**」（奴婢：男女の召使い）と結論づけました。中世の一〇〇〇年間は、哲学にとっては、まさに暗黒時代でした。

アウグスティヌスやトマス・アクイナスの説は、現代の私たちからすると、宗教的な感情にもとづいた空想に過ぎないと考えがちです。しかし中世におけるキリスト教は、宗教としてのみでなく、政治の世界でも、長く絶大な権力と人々の信頼の中心を占めていたのです。

次のような記事を見ました。現代の私たちへの警告とも思えます。心に留めておきましょう。

「世界最大の宗教キリスト教は世界の人口の三〇％を占めていると言われるが、中世の空想的な宗教論は決して過去の遺物ではなく、現代の国際政治や経済の動向に大きく影響している。宗教についての知識を持っていることは大切と思う。」（日経二〇一九年二月七日　池内恵・イスラム思想家・東大教授）

第四節　キリスト教哲学とヒエラルキー

キリスト教、それも長い歴史と世界最大の信徒を持つカトリック教会の系譜をみてみましょう。

・四世紀頃：初期キリスト教の東ローマ帝国による国教化、アウグスティヌスの教父哲学
・一〇五四年：東西教会の分裂（カトリック教会と正教会に分裂）
・一五一七年：M.ルターの宗教改革により、プロテスタント（新教）誕生

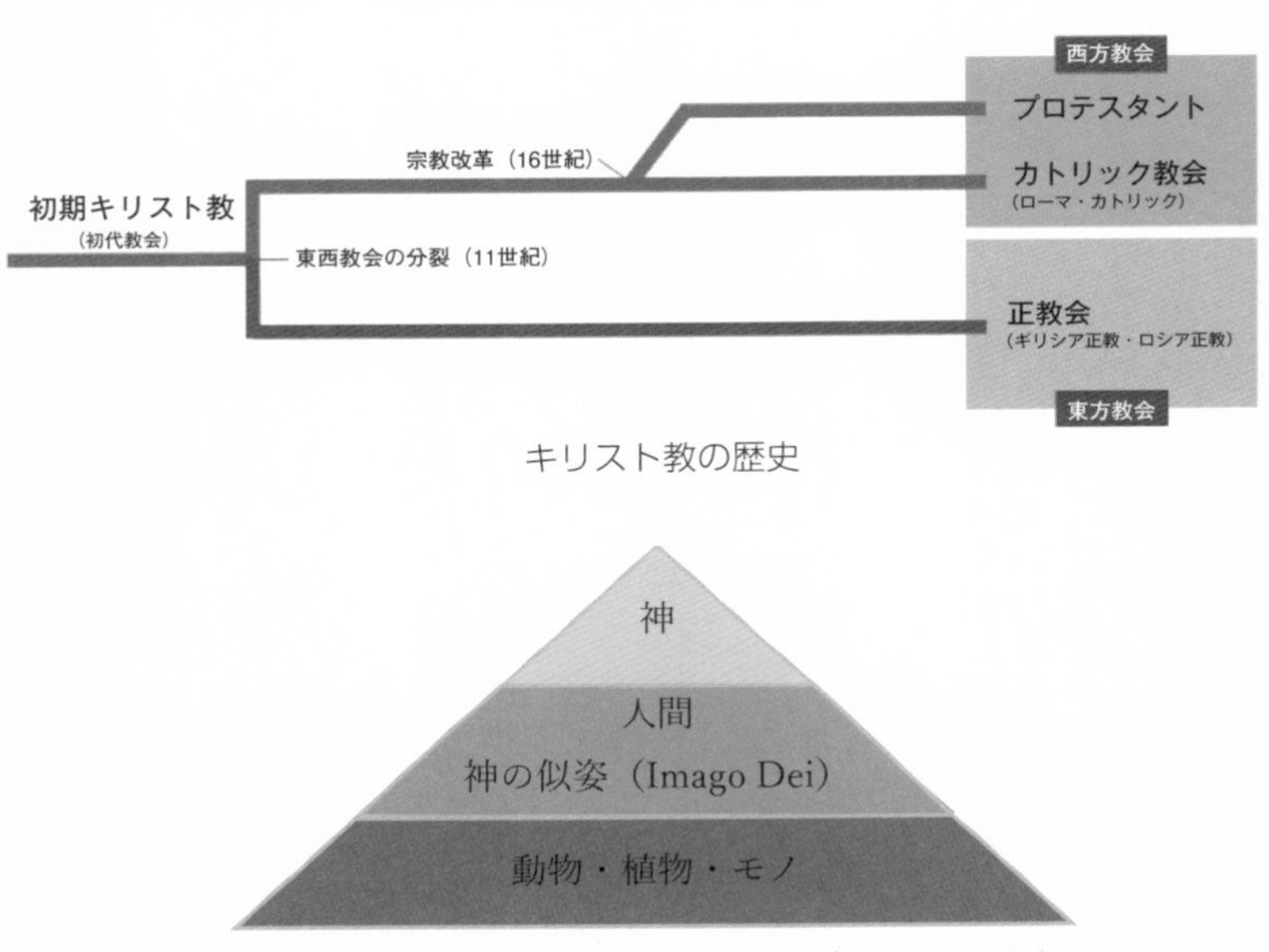

キリスト教の歴史

カトリック教会とヒエラルキー

・西方教会：カトリック教会（信者一二億人の世界最大の宗教）、プロテスタント教会
・東方教会：ギリシア正教会・ロシア正教会・日本ハリストス正教会

世界には他にも多くの宗教があります。

次に、キリスト教哲学にもとづいたカトリック教会のヒエラルキーを見てみましょう。

日本語化したヒエラルキー（hierarchy 英語の発音に注意！）は、ドイツ語ヒエラルヒー（Hierarchie）から来ています。「階層制」の意味ですが、ピラミッドで表してみます。

トマス・アクイナスは、著『神学大全』（一二六七）で、カトリック教会のヒエラルキーについて記していますが、この書をもって、スコラ哲学の完成としました。

ピラミッドの頂点は、キリスト教の神です。その下に、人間がいます。人間は「**神の似姿**」（イマゴ・デイ Imago Dei：ラテン語）、すなわち「神の面影をもち、神から特別な権利を与えられている」とされます。よって、「人間は、動物・植物・モノなど一切を支配することができる」とされます。

哲学サロンで、「宇宙」はモノと見なしてよいかどうか質問がありました。後で調べましたところ、『神学大全』の五か所に、「宇宙」が登場します。そこには、「宇宙の秩序こそは神によって本来的に意図されている」、「宇宙はひたすらただ神の意志にのみ依存している」、「神は、宇宙の完成と美に属することがらはことごとく意志する」などと記されています。このことから、「宇宙」は神の領域であり、人間が支配できるものではない、と結論いたします。

では、なぜ人間は神から特別な権利を与えられたのでしょうか？　この件も、『神学大全』に記されています。「人間は、善なる神によって創られた神の似姿である。人間は、世界で唯一、二足歩行ができる直立した存在であるから、他のすべての生き物の支配者であり、自然の主である」。「神の似姿」は、神と人間の密接な関係を表わすと同時に、人間の尊厳を主張しているようです。

トマス・アクイナスによる、人間は「神の似姿」の説は、近世以降の西洋の文化・科学の発展に多大な影響を与えました。人間は、神を畏れず、思うままに自然を操作し、科学技術を積極的に進歩発展させる方向に向かうべく自信を得たのです。そのような自信は、西洋の人々の精神の軸として、今日も色濃く引き継がれているようです。

それでも二一世紀になって、西洋の人々の考え方は変わってきたと、ドイツ・フライブルグ大学の理系教授から直接聞きました。〝地球にやさしく〟のキャッチフレーズのもと、環境問題に真剣に向き合わざるを得なくなった今日、人間はもはや自然と対立するのではなく、人間も自然の一部であるとの東洋的な考え方に変わりつつあるということでした。

東洋的、日本的な考え方に近づく西洋の人たち、なんだかうれしいですね。日本の私たちは、昔から自然との共生を大切にしてきましたから。しかし最近はどうでしょうか？人工物が氾濫して、自然を痛めつけているのではないでしょうか？　人間は謙虚さをとりもどして、地上も空も海も、しっかり見直して、改善していきたいものです。

第九章　西洋と日本
～ここがちがう～

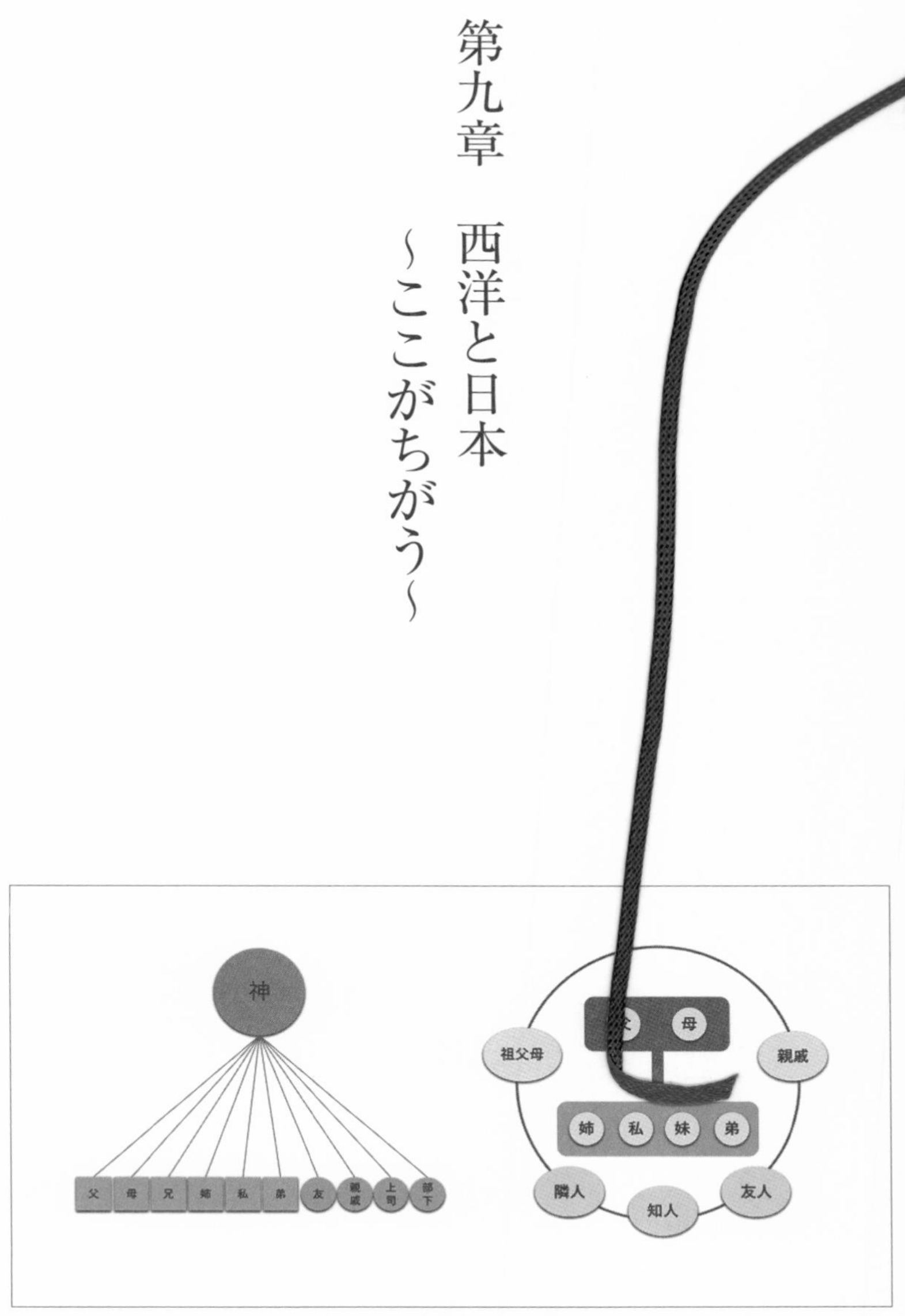

西洋と日本の家族観のちがい

第一節　西洋の家族と日本の家族

前頁の西洋の家族は、先祖代々多かれ少なかれキリスト教の影響のもと、親も子も個人として自立した姿です。頭上では、「神」が一人一人の人間を見ています。親子の間もきょうだいの間ももちろん愛情で結ばれていますが、基本的には「神」と「個人」の**縦の関係**です。何か悪いことをしたと思った時、ひとり静かに神を仰ぎ、許しを請う姿です。日常生活でも、子供と親は別々の寝室だったり、一二歳以下の子供はたとえ来客の子供であっても、大人とは別の食卓につかねばならなかったり、子どもの発言は個人の発言として扱うといった習慣は、西洋の厳格な家族観にもとづいたものです。自主独立の個人主義の姿勢は、幼少時から家庭で育まれるようです。

右図の日本の家族の場合、親と子の世代差はあるものの、家族が円形になって同じ高さの目線で向き合う形、世代間の連携が濃い和の精神を尊重する**横の関係**です。以前のＴＶニュースでは、成人した我が子が犯した罪を親が涙ながらに謝罪する場面が映し出されたものです。子どもは何歳になっても親の子という伝統的な考え方が強く、連帯責任を負うのが当たり前の家族観が日本の特徴でした。最近は本人の罪は本人が謝罪する光景に変わってきました。各々が自立したのでしょうか。

もうひとつ一般的に言えることは、日本人の多くは特定の宗教は持たないものの、**人間を超えた大いなる力**を信じる人は多いようです。先祖の墓、神棚や寺院の仏像、路地の地蔵など身近にある対象に祈願する姿が、日本の家族観と見なされています。ゆるく穏やかな神々と人間の関係は、心の癒しにも通じる、日本の特徴のようです。

第二節　西洋の神と日本の神

「神」↗西洋：一神教の神、ピラミッド型の頂点に位置する神
↙日本：八百万の神（多神教）、森羅万象に宿る神々

日本最古の歴史書「古事記」を開くと、森羅万象（天・山・川のいたるところ）に、八百万の神が宿っていることが分かります。神の名前も多く、なかなか覚えられません。

地方には、道祖神（道路の悪霊を防いで行人を守護する神）・雷神・年神様・かまどの神様などが登場する伝説もあります。いずれの神も、人間との境をきびしく区切らない、ゆるやかに世間に溶け込んだ守護神として伝わっていることが多いようです。

なお、皇室の祖神は、天照大神です。伊弉諾尊を父神、伊弉冉尊を母神として誕生した女神です。弟神は素戔嗚尊です。三重県にある伊勢神宮は、皇室の宗廟（祖先を祀るところ）

です。

第三節　西洋人気質と日本人気質

生物学的な気質について

西洋は狩猟民族：動物から得た活発で能動的な気質

・祖先は動物の生態を観察して、弱肉強食・適者生存の原理を発見
・相手とは一線を画し、自分は自分という個人主義が発達
・いつ相手が敵になるかも知れないという能動的な警戒心が強い
・言葉による自己主張が発達
・利害に敏感である。（I'm sorry をめったに言わない。先に言った方が責任を取るハメに。）

日本は農耕民族：植物の受け身の姿勢から受けたおとなしい気質
・植物の生態を観察して、春に芽吹いて花が咲くのを辛抱強く待つ気質が育つ
・草木が同じ場所で受動的に育つように、集落内の和・協調・協力の意識を重視
・人間関係を穏やかに続ける姿勢が尊重された

第四節　西洋の庭園と日本の庭園

西洋の庭園
・左右対称や直線を活かした幾何学模様が多い
・人間が自然を支配して作った人工的・合理的な美が特徴

日本の庭園

・人間の手が加わるが、できるかぎりありのままの自然を生かしている

・自然と天地が一体となった幽玄の世界を表現した庭園が、神社仏閣に多い

西洋と日本の庭園を訪れると、西洋人と日本人の気質や考え方のちがいは、先祖が暮らした環境からの影響が大きいと感じさせられます。それでも、お互いの良さを見出したいものです。

フランスの庭園

ドイツの庭園

イギリスの庭園

足立美術館庭園（島根）

竜安寺石庭（京都）

西芳寺（京都）

第十章　日本人の心のルーツ

儒教：「仁」（おもいやり）

→植物の種子の意味

仏教：「慈悲」（いつくしみかなしむこと）

→「芽ぐむ」の意。蓮と関係が深い。

第一節　日本人と儒教

儒教は、二五〇〇年以上も前の中国の春秋時代に誕生しました。孔子（前五五一頃～前四七九）が開祖です。

中国の正統な宗教・学問にもかかわらず、時の政府は、孔子を疎ましく思い、軽視される憂き目にも遭っています。

儒教の教えは「**仁**」（**おもいやり**）。「仁」は植物の種子を表しますが、同時に「天」を意味します。

・あらゆるものは「天」から始まる。人は生まれながらに「天」から授かったすぐれた道徳心をもっている。それだから、「天」を敬うことが大切である。

・人は自分の家庭を治めることが肝要である。それができて初めて国を治めることができる。

儒教は実生活に密着していて分かりやすく、人々の日常の行いに活かされる教えでした。

日本の儒教は、五世紀の古墳時代に中国から伝わったものです。古来の神道と共存しました。鎌倉時代以降の封建制度のもとでは仏教が普及し、江戸時代は、徳川幕府が国家安泰のために重んじた儒教が民衆の間に普及しました。

現代の専門家の中には、儒教の**「仁」（おもいやり）**の思想が、良いにつけ悪いにつけ、何ごとも鋭く追及しない日本人の気質を作り上げたとする見方もあるようです。

第二節　日本人と仏教

仏教の開祖は、紀元前五世紀頃にインドのヒマラヤ南麓に生まれた釈迦牟尼（しゃかむに）です。一般には「釈迦」で知られますが、「牟尼」は「聖者」の意味です。ですから、「釈迦族に生まれた尊い方」という意味になります。

王族の子である釈迦は、姓はゴータマ、名はシッダールタ。二九歳の時に四苦（生老病死）

を脱するため、宮殿から逃れて苦行の旅に出ました。三五歳の時にブッダガヤの菩提樹の下で悟りを得て以来、人々への説法に努め、八〇歳でクシナガラにて入滅しました。

仏教の伝道は、『西遊記』でおなじみの唐僧・玄奘法師（げんじょうほうし）が、インドから持ち帰って訳した二六二字の経典「**般若心経**（はんにゃしんぎょう）」にもとづきます。「般若心経」は「最高の知恵」の意味で、人間が避けることのできない四苦への「執着」を捨て、心を「空（くう）」にして、「煩悩」をなくすこと。これが「涅槃」（絶対的に自由な悟り）の境地に至る道と説きます。

ところで、「色即是空　空即是色」を聞いたことがあるでしょう。「般若心経」の真理を意味します。「宇宙のすべての事物は因縁によって成り立つが、固定した実体はない。すなわち空（くう）である。空であることによってはじめて現象界の万物は成り立つ」という教えです。

なかなかすぐには理解し難い、奥の深い仏典ですね。

日本人の心のルーツとして、これまで哲学ではなく、宗教に集中してきましたが、それには理由があります。奈良時代は神道と仏教が、江戸時代は仏教・儒教・神道が、人々の日常生活の道徳的な尺度として取り入れられていたのです。

もう一つの理由は、日本には哲学の歴史がないということです。江戸時代には、日本固有の文化や精神を説いた「国学」が、いわば哲学に当たりますが、優れた学者を多く輩出したものの、残念なことに、個々の学説を時系列的に体系化して後世に伝える「日本哲学史」は、誕生しなかったのです。そういう訳で、哲学に代わって、宗教が、日本人の心のルーツを作ってきたと言えるでしょう。

仏教をとおして見えてくる国民性があるようです。

インド人は論理的、中国人は論理が好きではない、日本は「言挙げしない国」(言葉に出して取り立てて言うことをしない国)であると言われます。果たして当たっているでしょうか?日本が「言挙げしない国」なら、現代の私たちは考え直した方がいいかもしれません。というのは、「以心伝心」、「阿吽(あうん)の呼吸」は、日本人特有のコミュニケーション・ツールです。西洋では通用しません。西洋では、たとえ心で思っていても、黙ったままでいると無能扱いされてしまうこともあるのです。「沈黙は金　雄弁は銀」は、グローバルな現代では、もはや死語かもしれません。yes、no をはじめ、言葉によって自分の考えや気持ちを表現する訓練や習慣は、日頃から実践しておく必要がありそうです。

第三節　宗教と宗教心はちがう

よく比較される表現があります。西洋は「罪の文化」、日本は「恥の文化」といわれることです。西洋は、神を頂点としたピラミッド型の縦の関係。個人は天を仰いで自分の過ちを告白して神に許しを請います。日本は、世間の目を気にする横の関係です。子供の頃、親から注意されましたっけ。「みっともないことをするんじゃない」と。それって、近所の目を意識して、恥ずかしいことを戒める叱り方ですね。世間体が一家の名誉や誇りを保つ尺度だったのです。今はどうでしょうか？

ところで、日本人は特定の宗教を持たない人が多いと言われますが、これはこれで問題なし。大切なことは、他人の目はごまかせても、自分の心はごまかせないということ。いつだって天は自分を見ています。このように考える日本人は多いようですが、日本人の美徳だろうと思います。

宗教と宗教心は「似て非なるもの」。特定の宗教はもっていないけれど、天への感謝、他人への思いやりはもっている、そういう日本人でありたいものですね。

第四節　慈悲が日本を救った歴史

J. R. ジャヤワルダナ
元大統領
(1906〜1996)

ジャヤワルダナ元大統領

J．R．ジャヤワルダナ元大統領（一九〇六〜一九九六）の名を聞いたことがありますか？

一九五一年第二次世界大戦の講和会議がアメリカのサンフランシスコで開かれた時、敗戦国日本の分割案が提示されました。その時、スリランカ（当時セイロン）のジャヤワルダナ氏が大勢の各国代表の出席者の前で行った演説は、会場に水を打ったような静けさをもたらしました。日本の真の自由と独立を支持するよう、**慈悲の心**で訴えた氏の演説は、出席者に大きな感動を与えたのです。その結果、日本は、旧ソ連・アメリカ・中国・英国に分割されずに済みました。氏の演説は、釈迦の言葉にもとづいたものでした。

Hatred ceases not by hatred but by love
「人は憎しみによって憎しみを越えられない。愛によってのみ憎しみを越えられる」

ジャヤワルダナ元大統領は、なぜ日本を救うための演説をおこなったのでしょうか？　それは、氏が少年だった時、スリランカを訪れた昭和天皇皇后両陛下に深い感銘を受けたからだそうです。後に大統領に就任して度々日本の皇室を訪れるなど、両国は深い信頼の念で結ばれていたようです。

国と国のお付き合いも、はじめは個人の印象や出会いから始まるのですね。そして、仏教にもとづく**慈悲の心**は、異教の、しかも元敵国だった人々の心をも、動かすことができるのですね。

ジャヤワルダナ元大統領の顕彰碑は、鎌倉大仏で知られる高徳院境内に建立されています。

第五節　キリスト教と私たち

「西洋を知るには聖書を知るべし」と、若い頃よく聞かされました。おそらく今日も変わりないでしょう。キリスト教徒でないにしても、私たち日本人は、実に多くの聖書と関係する用語や行事を生活の中に取り入れてきています。それらを通してあらためて西洋の文化を知りたいものです。そして私たち日本人も、日本の伝統・文化に関する語句・行事を西洋の人たちに伝えたいものです。

次に思いつくかぎりの用語・行事をリストアップしてみました。チェックしてみてください。

・ホスピタル（hospital）：病院（修道院がルーツ）
・ホスピス（hospice）：宗教団体の宿泊施設から、終末期を迎えたがん患者の緩和ケア施設に拡大
・ホスピタリティ（hospitality）：修道院が旅人や巡礼者を宿泊させて歓待したのが始まり

リキュール（薬草酒）は修道院で初めて製造されたが、今日も多くのアルコール飲料を醸造（赤ワインはサクラメント用から一般社会に拡大）

・カエサルのものはカエサルに、神のものは神に（マタイ伝二二：一七－二一、マルコ一二：一四－一七、ルカ二〇：二二－二五）：俗世界のことは俗世界の権力に従うべき。しかし、信仰は譲らない。

（民衆がローマ帝国に税金を納めるべきかどうか判断する際の言葉）

・笛吹けど踊らず（マタイ一一：一七、ルカ七：三二）：お膳立てをしても人が応じない様子

・人はパンのみにて生きるにあらず（マタイ四：四）：人は物質のみでなく精神的な満足も必要

・目には目を歯には歯を（出エジプト記二一）：誰かを傷つけた場合、その罰は同程度に与える

・右の頬を打たれたら、左の頬も差し出しなさい（マタイ五：三九）：敵を許し、仕返しをするな！

・豚に真珠（マタイ七：六）：高価なものでも価値が分からない者には無駄である

・求めよ、さらば与えられん（マタイ）：神に祈り求めよ。そうすれば神は正しい信仰を与える

・狭き門より入れ（マタイ七：一三）：事をなすとき、簡単な方法ではなく、困難な道を選べ！

・羊の皮を被った狼（マタイ七：一五）：親切そうにふるまうが、内心で悪事を企んでいる人

物
・砂上の楼閣（マタイ七：二六）：見かけは立派だが、基礎が脆弱で長く維持できない事
・目から鱗（使徒九：一八）：あることがキッカケで、急に物事の本質がわかるようになること
・働かざる者食うべからず（新約聖書テサロニケの信徒への手紙）：働きたくないなら食べるな！
・ハルマゲドン（黙示録一六：一六）：神と人間の間の最終戦争
・三位一体（キリスト教教義）：神・子なるキリスト・聖霊は、唯一神の三つの位格（ペルソナ）
・ハレルヤ（ヘブライ語）：神の栄光を褒め称えよ

日本の行事とキリスト教

・キリスト教式の結婚式　・クリスマス（降誕祭）　・バレンタインデー　・イースター（復活祭）

なお、ハロウィーン（Halloween）は現代では、キリスト教と無関係です。

聖書と英語表現

間投詞

・God bless you：「神のご加護を！」「お大事に！」（くしゃみをした時に発する言葉）
・Oh my God：何てことだ、畜生、神様おたすけください
（Oh my gosh：やばい！　Oh my goodness：あらまぁ、なんということでしょう。）
・amen：アーメン（ヘブライ語で「かくあれ」の意。祈祷・讃美歌などの終わりに唱えることば）

文学作品のタイトル

・「エデンの東」（創世記四：一六）：映画の題名

・「怒りのブドウ」（黙示録一四：一〇）：スタインベックの小説名

・「I have a dream」（詩編三〇：一五）：M・L・キング牧師の演説「私には夢がある」

・「この人を見よ」（ヨハネによる福音書一九：五）：哲学者ニーチェの書名

哲学サロン　読者の発言・意見コーナー（一）

Q．キリスト教の神は、日本の神に比べると、厳しくて近寄りがたい感じがするが、どう思いますか？

A．キリスト教は、神と人間が対立した関係。日本人には冷たく感じるという感想は時々聞きます。日本の神は大らかだと感じます。西洋の神と対照的かもしれませんね。

Q．西洋のピラミッド構造の中で、「人間は神の似姿」という神の声を聞いた人は誰か？　どのようにして確信がもてたのですか？

A．アウグスティヌスも「神の似像」のことばを、著『告白』の中で記しています。トマス・アクイナスの著『神学大全』（神学のまとめ、の意）は、旧約・新約聖書にもとづいています。「神の似姿」は、旧約聖書の創世記第一章二六・二七節をはじめ、数ヶ所に記されていますので、トマス・アクイナスは確信していたのだと思います。

Q．キリスト教のヒエラルキーの世界は、キリストを中心にして光が放射状に放たれ、それが天使・人間・動植物に届くと習ったが、どう考えますか？

A．トマス・アクイナスの『神学大全』に、光・天子・人間・動植物について記されています。でも、それは人間の目に見えない世界ですから、信じるほかないように思います。理論的に、科学的に、どの考えが正しいと決めるのは難しいですし、不可能だと思います。信じることと知ることは別。宗教と哲学は一致しないと、トマス・アクイナスは結論づけています。

Q．ニーチェが「神は死んだ」と言いますが、その場合の神とは？

A．キリスト教の「神」が死んだのです。ニーチェの著『ツァラトゥストラはかく語りき』は、超人ツァラトゥストラが出現して、キリスト教の神は信ずるに値しない、絶対的な視点は存在しないと主張します。そして、既存の価値を否定されて暗闇の中に陥った民衆に新しい価値観を説きます。このような主張の背景には、科学技術が発達して既成の道徳観が世の実情に合わなくなった一九世紀のヨーロッパがありました。新しい価値観とは個々の人間を重視することなのですが、今日のお答えはここまでです。

哲学サロン　読者の発言・意見コーナー（二）

Q. ぼく（14歳）は夏休みにスウェーデンに旅行したのですが、街を歩く人の様子がゆったりしていると感じました。日本人はせかせかして見えます。時間的な尺度が幸福度に表れるのではないでしょうか。

Q. 私も海外のホテルに泊まっていて気づいたのですが、西洋の人はプールで泳いだ後、デッキチェアーで読書をしている。日本人はプールから上がったらそそくさとその場を去ってしまう。西洋の人は、自分は自分の個人主義が身についている。日本人は人目を気にするのか、あるいは時間的にゆとりがないのか、国民性のちがいを感じました。

A. お二人の意見に同感です。西洋の人はブレない心の軸をもっていて、しかもゆったりした足取りを感じさせられます。日本人は引っ込み思案なのか、人目を気にするのか、旅行中も時間に追われているのか。良い悪いは別として、西洋の人は、積極的に人生を楽しんでいる人が多い気がします。そのような生き方の方が、なにかと得なことが多いのではないかと思ってしまいます。（笑）

Q. 初めて参加しましたが、本日の講座、とても参考になりました。最近のニュースで、世界の幸福度ランキングが発表されました。本日のお話を聞いて感じたことは、幸福に思えることと哲学はどのように関係しているのか、お聞きしたいと思います。また、日本の幸福度が低いのはどうしてなのでしょうか？

A. 前回の哲学サロンで取り上げたソクラテスは、「できるかぎり善い人間になろうと最善を尽くす者が、最善の生涯を送る」と言っています。また、「善く生きることは、善く死ぬことにつながる」とも言っています。さらに「自分の心の故郷は、この世とつながっている死後の世界にある」とまで言っています。

ソクラテスの「善」は、「幸福」とほぼ同義語と考えていいと思います。

　ソクラテスの言葉から考えることは、「人間はいつか死ぬ」という厳然たる事実です。死は、誰にも例外なくやってきます。「人生はたった一度」。ではその持ち時間をいかに生きるか、幸福な人生とは何か、を問うのが哲学の中心的な課題の一つです。古代ギリシア哲学はその課題に熱心に取り組みました。

　世界一幸福度の高い国として、ブータン王国が知られていますね。なぜ幸福度が高いのでしょう。一つには、国内に異物（外国人・人工物等）が入ってこないよう制限しているそうです。自然豊かな環境が人間を健全に育んでいると評論家が述べていました。日本人は最先端の技術に囲まれた生活をしていて、何ごともスピーディがベストの尺度で、日々を過ごしているのではないでしょうか。この尺度が、日本人の幸福度を下げている原因の一つかもしれません。尺度を変えたほうがよいのかもしれません。

Q．外資系で仕事をしていますが、日本人ならI'm sorryと言ってしまうところ、西洋の人は謝ることなく次につなげて意のままに発言している場面が見られます。西洋人と日本人の気質・個性のちがいなのか、国民性のちがいなのか。今日のお話を聞いて参考にしたいと思いました。

A．私も似たような体験をしたことがあります。西洋の人はミスをしてもニコッとウインクしてその場を難なくすり抜けてしまう術に長けているようにさえ思います。国民性かも。そのようなことが得意（?）でない日本人は、無理して真似ることはないです。それでも、控えめで真摯な日本人の国民性を、もっと外国の人に伝えることが大切かもしれませんね。自信をもちましょう！

第十一章　近世の哲学

近世の哲学では、一三世紀末のルネッサンスから一八世紀のカント哲学までを紹介します。

「すべての哲学はカントに流れ入り、カントから流れ出る」と言われることがありますが、カント哲学は、二五〇〇年余り続く西洋哲学の金字塔と見なされています。難解と言われるカント哲学ですが、垣間見る楽しさを味わってください。

なお、カント以降も、多かれ少なかれカントの影響を受けている哲学者が多くいます。

第一節　ルネッサンスと哲学

・人文主義

中世の神を中心とした生き方から人間を解放して、個性や感性で、自分らしさを自由に表現しようとする改革運動がイタリアに興りました。これがルネッサンス（「再生」：仏語Renaissance）です。改革運動の中心は「文芸復興」です。古代ギリシア・ローマの言語・文学・思想・芸術などの復興を目指して、教養を身につけ、人間の尊厳を確立する「人文主義」の運動がヨーロッパ中に広がりました。オランダのエラスムス、フランスのラブレー、イタリアのボッカッチョなどに代表されます。

・**宗教改革**

宗教改革も興りました。これを成し遂げたのは、ドイツのM.ルター（一四八三〜一五四六）です。ルターは、ローマ・カトリック教会の権威的な制度の改革を目指しました。そして真の信仰とは、自分自身の道徳的な心にもとづく信仰であり、それによってのみ神に触れることができると説きました。ルターは、カトリックとは異なる新教・プロテスタントを、キリスト教の一派としました。

・**自然哲学**

自然哲学というと、古代ギリシアのゼノンやヘラクレイトスたちの自然現象の根本原理を探求する学を思い出すかもしれませんが、近世の自然哲学は、中世の神から離れて、神を新しく捉え直すところに特徴があります。神は、天から下界の人間を見下ろしているのではなく、自然の至るところに宿っているとする考え方に変わります。神は万物に宿ると見なす考え方は、汎神論（はんしんろん）と称します。

「神」と「人間」の関係を新しくとらえ直すことで、人間はいまや積極的に科学的に自然の探求を開始できるようになったのです。哲学は、「神」と「人間」の関係を新しくとらえ直すための理論を、一〇〇〇年前の古代ギリシア哲学に求めて、ルネッサンスに再び輝かしいデビューを果たすことになります。

第二節　自然科学と哲学

英国の歴史家・H.バターフィールド（一九〇〇～一九七九）は、著書『近代科学の誕生』（一九四九）で、近世の科学革命を起こした四名として、コペルニクス、ケプラー、ガリレイ、そしてニュートンを挙げていますが、ここでは哲学とあまり関係のないケプラーの代わりに、F.ベーコンを紹介したいと思います。

1473～1543

・N.コペルニクス

ポーランドに生まれたコペルニクスは、聖職者であり天文家でした。

毎晩肉眼で天体を観察していましたが、ある時、従来の惑星の位置を疑問視して計算しなおし、「天動説」を否定して、「地動説」を主張した人です。「地球は天の中心に静止して在る。その周囲を太陽が回っている」の天道説は間違いであり、「天の中心に静止して在るのは太陽であり、地球は太陽の周囲を回転している」と主張しました。

当時、神は人間の住む地球の頂点に在ると信じられていましたから、その地球が回転するなんて、とんでもない説でした。ましてコペルニクスは聖職者でしたから、「地動説」は非難囂囂。

しかしコペルニクスの「地動説」は、中世の神から近世の神へと、一気に自然科学を推し進めることになりました。コペルニクスが「天動説」を「地動説」に転換した歴史的な発見は、二〇〇年後のドイツの哲学者カントが、自説を「コペルニクス的転回」と命名するほど、哲学界にも大きな影響を与えました。

1561～1626

・F.ベーコン

F.ベーコンは、英国の哲学者ですが、政界・司法界・官界で活躍し、男爵から子爵までの称号を授与された人でした。功成り名遂げた六〇歳頃に、哲学の述作に精を出したと伝わります。

ベーコンの思想は、「**知は力なり**」です。――人間は自然を探求することで、自然から確実な知識を獲得できる。その知識によって自然を利用して発明が可能となる。**知識は自然を支配する力**である。

自然界のモノ（個物）を観察して因果関係から普遍的な法則を導き出すベーコンの論理は、「**帰納法**」と呼ばれますが、科学的研究法の一つとして、後世に引き継がれていきます。

それでは人間は、いかにして確実な知識を獲得できるのでしょうか？

ベーコンは言います。自然について確実な知識を得るには、人間は事前に心（精神）の中から一切の先入見（偏見）を取り除いておかなければならない。事前に排除すべき先入見は四種類あると。

先入見は、**イドラ**（幻影・偶像idola：ラテン語）と呼ばれます。
①種族のイドラ：錯覚（目の錯覚、思いちがい）
対策：自分を過信しないこと
②洞窟のイドラ：狭い知識、世間知らず、「井の中の蛙　大海を知らず」の状態
対策：自分の狭い経験と他の多くの人の経験を比較して、偏見を取り除くこと
③市場のイドラ：自分の考えと言葉による表現が合致しないで生じる誤解
対策：事物を観察して、考えと言語による表現のズレを明らかにすること
④劇場のイドラ：舞台上の有名人の権威を盲目的に信じて誤った判断をすること
対策：自分で観察して、自分で判断する能力を養うこと

ＴＶ等で見るあこがれのアイドル（英語idol）は、イドラが語源です。熱心なファンのあなた、舞台で見るアイドルは素顔とかけ離れているかもしれませんよ。イドラを捨ててあこがれてください。

なお、イドラは、プラトンのイデア（idea）とは関係ありません。

・G.ガリレイ

ガリレイは、イタリアのピサに生まれた天文学者、物理学者、そして哲学者でした。

1564〜1642

ガリレイといえば、真理を追究し、その結果、周囲の圧制により悲劇的な生涯を送った人と思われがちですが、実は名誉心が強く、自分の業績が優先的に扱われることに執着して権力者の庇護に甘えるなど、業績を世に知らしめる術に長けた人間臭い人物だったと伝わります。

他方、「近世自然科学の父」と称されるガリレイは、自然科学の方法論を確立し、その偉大な功績は現代にまで引き継がれています。ガリレイの方法論は、実験と数学を結合した説が特徴です。簡略的に紹介しましょう。

自然現象の観察→現象を理性的概念に分析（分析的方法）→仮説を数学と実験で検証（総合的方法）→命題の確立→自然現象の普遍的法則の確立

ガリレイが手掛ける自然には、もはや「神」は宿っていません。自然はただ機械的に運動しているに過ぎないとして、ガリレイは「機械論的自然観」を主張しました。

古代ギリシアの哲学者アリストテレスは、自然は神を目指して運動・発展するという「目的論的自然観」を唱えましたが、ガリレイの自然はなんとも殺風景です。それでも、ガリレイ以降の自然科学者は、ガリレイと同様、自然を数学と実験で操作する方法を継承していきます。

ところでガリレイは、コペルニクスの「地動説」を是認したため、宗教裁判で有罪となり、生涯を軟禁状態（自宅に閉じ込められ、散歩以外は外出禁止の状態）に置かれました。「それでも地球は動いている」とつぶやいたということですが、真相は定かではないようです。

ガリレイのこの事件は、科学が宗教に弾圧された最後のできごととなりました。ところがなんと一九九二年になって、ローマ法王ヨハネ・パウロ二世は、ガリレイ裁判が誤りだったことを認め、ピサの斜塔に上って、ガリレイに謝罪しました。ガリレイの死後、三五〇年を経てのことでした。

1642〜1727

・I.ニュートン

ニュートンは万有引力の法則を発見した人ですね。英国の古典物理学者・天文学者、光のスペクトルそして微分積分の発明をした数学者でもありました。

自然をひたすら機械的に扱うことに成功した人物がガリレイとすれば、ニュートンは、自然の運動と力の関係を把握することに成功した人物と伝わります。

ニュートンは哲学界にも決定的な影響を与えています。ニュートンがこの世を去ったとき、三歳だったドイツの哲学者カントは、『純粋理性批判』の序で、ニュートン物理学が、カントの時間・空間の概念に決定的な影響を与えたとして、ニュートンを絶賛しています。

ニュートンは「近代科学の建設者」と称されますが、最大の業績といわれる古典力学を定式化した著『プリンキピア』（自然哲学の数学的諸原理）には、不思議なことに数式は全く見られません。万有引力の法則も、すべてことばで表現されています。

また、万有引力の法則は、あるがままの「自然」から生まれた法則ではないのだそうです。「自然」がもつ感覚（色・香・味・音・手触り）をいっさい排除して、モデル化した「自然」から生まれた運動法則だそうです。ニュートンの自然観も、ガリレイと同じく、「機械論的自然観」でした。ですから「自然」といっても、生命のない「死んだ自然」を相手にしています。「自然は、神の干渉を必要としない、数学的自然科学の対象である。数学的自然科学こそ真実の学問である」と主張しています。

このような経緯から、ニュートンの「機械論的自然観」は「絶対の真理」と受け止められるようになりました。人間はもはや神を畏れることなく、自然を思うままに操作できるという考え方がますます浸透していきます。それは、やがて一七六〇年代のイギリスの産業革命へとつながっていきます。

それでも、ある時のインタビューで、ニュートンは次のように答えています。「自然あるいは宇宙の創造主は神であり、神は自然のいたるところに広く在り、万有引力そのものは神が創ったと考えています。ただ誰も気づかず、もともと在った万有引力を、私は最初に発見したに過ぎない」と。また別の時、「自然は、神が創ったものだから、私にはわからない」と。

ニュートンの主張は、科学者は決して「神」を無視して尊大に構えているのではなく、「神」は自然の創造者であり、人間には解明できない事柄がある、という考え方に徹していたようです。

ニュートンの青年時代に触れてみましょう。青年期ともなれば、当時のイギリスの学者（の卵）たちはほとんど例外なくヨーロッパ大陸に留学しました。ところがニュートンはついに国外に出ることなく、保守的な雰囲気に包まれたケンブリッジ大学トリニティカレッジで過ごしていました。その間にイギリスをはじめ欧州はペストの襲来で、大学は数年間休校になりました。一年半近く故郷の村に帰って「強いられた休暇」を過ごしていた時、ニュートンはたまたま庭のリンゴが落下するのを見て、万有引力の発見をしたのだそうです。

ニュートンは早くから才能を認められており、三五歳頃にケンブリッジ大学の教授職に就きますが、必ずしも好人物ではなかったようです。無口で非社交的な人だっただけに、偉大な発見は、一種特異な突発的才能の爆発のような印象と、現代の専門家は伝えています。

一〇〇年ぶりに新型コロナウイルスの襲来に見舞われている今日、ピンチをチャンスに変えるエネルギーを若い人たちに期待したいと思います。後年になって人生を振り返った時、「あの時の過ごし方が、生涯で最も実りのある時だった」と言えるような時間を過ごしてください。

二〇〇七年春、ケンブリッジ大学トリニティカレッジ付属博物館を訪れることができました。中に入ると、同大学出身の歴代の偉人たちの座像が整然と並んでいました。F．ベーコンの座像もありました。そしてなんと左手に、聳え立つようなニュートンの立像がありました。

ニュートンの履くブーツの先端が私の鼻先にあり、見上げながら、ニュートンは別格の扱いなのだと強く感じました。

ニュートン像の台座に、紀元前のローマの哲学者ルクレティウスのラテン語の詩がありました。そして、英文も添えられていました。和訳をしておきます。

Qui genus humanum ingenio superavit

Who surpassed the race of men in understanding

「知性において人類を超越した人」

ニュートンのリンゴの木は、ケントの木（セイヨウリンゴ）と呼ばれます。四本の接ぎ木のうちの一本は、東京都文京区の小石川植物園で栽培されているそうです。

第三節　一七世紀の哲学

一七世紀の哲学は、フランスのデカルトを代表とする「大陸合理論」と、イギリスのホッブズを代表とする「イギリス経験論」が論争を展開します。「理性」と「感性」の対立した二元論の始まりです。西洋の人々の典型的なものの考え方・二元論は、この時代から本格的に始まったと言えそうです。

①デカルトと大陸合理論

1596〜1650

R.デカルト

デカルトはフランスの貴族の子として生まれました。哲学者としてのみでなく、数学者、自然科学者としても著名で、特に解析幾何学の発見者として知られます。一六四九年にはスウェーデンの教養豊かな女王クリスティーナに招かれましたが、翌年そこで没しました。

「われ思う、故にわれあり」

これはデカルトが自著『方法序説』の中で提唱した有名な命題です。デカルトは、ガリレイが自然科学の真実の学問的方法として数学的方法を確立したことに影響を受け、人間の精神の世界にも、真実の学問的方法があるのではないかと考えました。

精神の世界の真実の学問的方法を探求するために、デカルトはすべてを疑うところから始めます。真実の発見のために疑うこと（懐疑）を、デカルトは「**方法的懐疑**」と名付けました。そしてどこまでもすべてのものを疑い続けていくと、何ひとつ確実なものはないと確信しましたが、ただ一つ、確信できるものがあると気づきました。それは、すべてを疑っている自分「私」です。「私」の存在は、疑いようのない確実な真理です。「私」がいなければ、何も始まらないですね。こうしてデカルトは、「私」が考えるから「私」がいると確信できる、すなわち、「**われ思う、故にわれあり**」（コギト・エルゴ・スムcogito, ergo sum：ラテン語）の命題を確立しました。

さらに続きます。疑いようのない真理「考える私」は、自分（人間）が作り出したものではなく、神が人間に植え付けたものであり、すべての人間は生まれつきもっているものである。よって、何の証明も必要としない、直観的に認識できる「考える私」は、「**明晰判明な真理の規準**」とされます。

デカルトの命題は、感性（五感）と関係なく、頭の中で考えた観念的な結論です。このように観念から導き出される思考法は、「**演繹法**」と呼ばれます。（反意語は、「帰納法」です。）

デカルトは、「**精神**」を重視する一方、「**物体**」は一段低い価値と見なします。前者は**永遠不滅**の「**理性**」の世界、後者は**生成変化する**「**感性**」の世界として、二項が対立する「**二元論**」を打ち立てました。「精神」「理性」対「物体」「感性」　この図式は、古代から続いている西洋思想の特徴です。

心身二元論

デカルトは「二元論」をさらに、「私」に当てはめて考えます。「私」は「精神」と「身体」をもっています。「私」の「精神」は、明晰判明な真理の基準です。他方、「私」の「身体」は、「私」の意志と関係なく、自然現象と同様、まったく機械的に運動しているに過ぎません。ですから、「身体」の死は、機械が故障して運動が完全に止まった状態です。

ところがデカルトの「心身二元論」に、矛盾が見つかります。「精神」と「身体」は、「私」という同一人物の中にあるのだから、それはもはや「二元論」とは言えないと、他の哲学者から批判が生まれました。デカルトは苦しい説明をします。脳の中に松果腺（現代の松果体とは異なります。）という「精神の座」があって、その一点で「精神」と「身体」はつながっていると。しかし、たとえ一ヵ所であっても、「精神」と「身体」が結合しているなら、「二元論」とは言えない。デカルトの「心身二元論」はこうして崩れ去ります。

哲学サロン　主催者より

私にはデカルトの「心身二元論」が役立った思い出があります。

今から20年も前、人間ドックで大病が見つかりました。まさに青天の霹靂(へきれき)でした。入院手術まで1か月待たねばなりませんでしたが、どうやって過ごそうか。とっさに思いついたのがデカルトの「心身二元論」でした。私の「身体」は、私の意志に関係なく、機械のように動いている。だから自分ではどうしようもないこと。「身体」は医師にお任せしよう。でも自分の「精神」は自分で面倒見なくちゃと思いました。ウツにならないよう気を付けようと思ったのです。そこで毎日TVのお笑い番組を見てゲラゲラ笑って過ごしました。デカルトの論理に救われたのです。入院中も明るい患者とまで言われてしまいましたが、こうして大病を無事に乗り越えることができました。デカルトの「心身二元論」は、現代では馬鹿々々しい論理かもしれませんが、役に立つこともあるのです。みなさんがピンチに陥った時、何かの助けになるなら幸いです。

②ホッブズとイギリス経験論

1588〜1679

T.ホッブズ

ホッブズは、英国で牧師の子として誕生し、オックスフォード大学で学びました。F.ベーコンを継いで、自然科学の学問の方法として、「感性」を重視した哲学者です。デカルトと対照的な考えの人です。

デカルトは「精神」の合理性、理性、数学的な真理を重視しましたが、ホッブズは、「**感覚**」「**感性**」から直接得られる「**経験**」を重視します。

自然現象は必然的に「原因」と「結果」の作動を繰り返すが、人間の「感性」も同じように作動することで、「精神」は形成されると主張します。

人間の「身体」に備わっている「感覚」(目・耳・鼻・口・皮膚)は、人間を取り囲む自然(経験界のモノ「個物」)から刺激を受けます。刺激は「記憶」として蓄積されます。そのような経験を繰り返すと、「記憶」は習慣化し、「印象」づけられ、「想像力」につながり、「知識」の世界、すなわち「精神」を形成すると説きます。ホッブズの論理は「機械論的因果性」と呼ばれますが、「感覚」は、人間の意志に関係なく、受動的に、機械的に作動する。作動には何らかの「原因」と「結果」が伴うことを意味します。

「感覚」から「記憶」までの過程は、動物も持っています。人間と動物の違いは、「記憶」を言語で表せるかどうかです。言語によって、「記憶」の中の多くの類似した事柄は結合され、一つの普遍的な概念を生み出す。よって、「**認識は、経験から始まる**」ということになります。

ホッブズのように、経験界の個物の因果関係(原因と結果)を認識して、普遍的法則を生み出す思考法を「**帰納法**」と呼びます。デカルトの「**演繹法**」と対照的な思考法と前にお話ししましたね。

第十二章　逆転の発想王　カント

1724～1804

第一節　カントの生涯について

Ⅰ．カント

イマヌエル・カントは、今から三〇〇年ほど前、ドイツ北方の東プロイセンの都市ケーニヒスベルク（現ロシア領カリーニングラード）に生まれました。質素な馬具職人の父と、敬虔主義（ピエティスム）の篤い信仰心をもった母のもとで育ちましたが、両親とも早世しました。親類の援助もあって大学まで進みました。卒業後は長く家庭教師を務め、後に母校ケーニヒスベルク大学の教授そして二回の学長職を務めました。虚弱な身体に生まれたカントは、二〇歳まで生きられないだろうと医師から告げられていましたが、大学の職務をこなす一方、大部分の時間をひたすら哲学の思索と研究に捧げ、八〇年の生涯を全うしました。

ケーニヒスベルク市について、カントは『人間学』（一七九八年）に記しています。「一国の中心をなす大都市で、国の政府諸機関があり、大学があり、さらに海外貿易の要衝を占め、内陸からの河川を通じて、様々な言語や風習をもつ遠近の国々と交易するのに便利な都市、例えばプレーゲル河畔のケーニヒスベルクのような都市は、人間知（人間を知ること）と世間知（世間を知ること）を拡張するのに好適な場所とみなせる。そこでは人は旅行せずともこれらの知識を獲得することができる。」そういう訳で、カントは生涯で一度もケーニヒスベルクから出たことはありませんでした。

しかし、「旅行せずとも」と記しながら、カントは、むしろ旅行の意義を積極的に認めています。「外の世界を自分の眼で知ろう（中略）という好奇心がおこらぬような精神の狭さ」を戒めています。そして、精神の拡張のためには、「予め身近な範囲で自分の町や国の仲間たちとの交際を通じて、人間知を獲得しておかなければならない」とも言っています。

カントはおそろしく博覧強記の人でした。『人間学』は和訳で六〇〇頁余りの書ですが、人種別の認識能力から性格や気質の特徴まで書かれていて驚かされます。日本人を含めたアジア人についても記されています。往時の国際色豊かなケーニヒスベルク、そしてカントの生涯を彷彿させます。

もう一つ、『人間学』から紹介しましょう。「哲学ではなく哲学することを学ぶ」、そして「自分の足で歩むことに熟達した人間に成長せよ」と。カントは、他の人の考えを鵜呑みにして満足するのではなく、自分自身で考えることの大切さを学生たちに講義していました。

私たちも、哲学サロンで得た知識を知識として終わりにするのではなく、その知識をもう一度自身で考えて、疑問やあらたな意見をいだく姿勢を養いたいものですね。

第二節　『純粋理性批判』は、何を批判する？

次の図が示すように、カント哲学は、デカルトの「大陸合理論」とホッブズの「イギリス経験論」を、すなわち「二元論」を統一した哲学です。「理性」対「感性」、「精神」対「物体」の二項が対立したままでは認識はできない、とカントは主張したのです。モノを認識するとは、二項が同時に対等に公正に作動して初めて成り立つ、としたのです。カントは、二項は同等の権利を持つと主張します。

デカルト：大陸合理論：理性↙
ホッブズ：イギリス経験論：感性↘
⇓カント：二元論の統一

カントは一〇年の歳月をかけて、二元論を統一した哲学書『純粋理性批判』を著しました。

では『純粋理性批判』は、いったい何を批判しているのでしょうか？

西洋は、デカルトにかぎらず、古代から「理性」を重視する反面、「感性」は一段低いものと考えてきました。そのことに、カントは疑問を抱いたのです。「理性」とは、そんなにも優れたものなのかと。そこでカントは、「理性」そのものを徹底的に疑ってみることにしました。「理性」の純粋な度合いを吟味してみようと考えたのです。

ところで、「疑う」「吟味する」は、カントの場合、「**批判する**」を意味します。このことから、カント哲学は「批判哲学」と呼ばれます。

また、人間の認識の起源や過程を究明する哲学は、「認識論」と呼ばれます。「批判哲学」「認識論」というと、哲学界では、ほぼカント哲学を指します。

ところで、『純粋理性批判』の中心となる課題は二つありました。一つは、自然科学の客観性・信頼性を確立すること、もう一つは、「人間は、よく生きるには何が必要か」の問いに答えを提示することでした。これら二つの課題を解決するには、思考や判断をする「理性」の能力を「批判」することが、先決問題だったのです。

第三節　コペルニクス的転回

二〇〇年前に、コペルニクスが「天動説」から「地動説」に転換した出来事は、カントに、逆転の発想をもたらしました。二五〇〇年余りの哲学の歴史において、カント以外の哲学者の誰ひとり気づかなかった発想でした。

それではカントの発想を辿っていきましょう。モノを認識する時の、目と脳の関係の話です。私たちはふつう、「モノがあるから、（私は）見る」の順で、認識していると思っています。カントは逆です。「私が見るから、モノはある」です。不思議なことを言いますね、カントは。

ここで、見る側の「私」は「主観」、見られる側の「モノ」は「客観」と表します。ふつうは、「客観」があって「主観」はある。すなわち「主観」は「客観」に従う、となります。

カントは、「主観」があって「客観」はある、とします。「客観」は「主観」に従う、です。

「モノ」を認識する時、目（視覚）と脳（意識）、すなわち、「感性」と「理性」が結合して、モノの認識は成立します。では、「感性」と「理性」の作動の過程を、「批判」してみましょう。

次のような体験をしたことがあるでしょう。いま一緒に実験（想像も可！）してみましょうか。暗闇の中にいてパッと電灯がつきました。その瞬間、私たちの目は、ぼんやりとかすんでいて、あたりがよく見えません。モノがはっきり認識できるまでに、（専門家の見解では）〇・五秒かかります。

カントは、まさにこの〇・五秒間のプロセスを説明しています。カントによれば、ぼんやりと見える状態は、モノを「認識した」とは言わないのです。〇・五秒後に、モノが何であるかはっきり把握できた時、初めて「認識した」といえるのです。認識とは、まさに、「モノ」を把握した「感性」と、「意識」「理性」の作動が結合した時、はじめて成立することになります。

この実験から、「主観」が先にあって「客観』がある、という順序、すなわち「客観」は「主観」に従う、とするカントの説、納得していただけたでしょうか？

従来の「主観」と「客観」の関係を逆転させた説は、コペルニクスが「天動説」を「地動説」に転換させせた説に匹敵すると、カント自身、『純粋理性批判』の序で自画自賛しています。何しろ二五〇〇年余り、世界の哲学者の誰ひとり気づかなかった発想ですから、カントを讃えましょう！

このような逆転の発想によって、カントは西洋哲学史上に金字塔を打ち立てたと見なされることが大勢を占めています。カントはまた、『純粋理性批判』の序で、コペルニクスとニュートンの発見が、自分の哲学に大いに貢献しているとして、偉大な二人を大いに賞賛しています。

カント以降、「コペルニクス的転回」は、考え方ががらりと一八〇度転換した場合の表現として、一般的に用いられるようになりました。

ところで、物理学者の佐治晴夫氏の書『14歳のための時間論』を読んでいて、カントの「認識論」に相当する箇所があって驚きました。認識の過程を、物理学の面から知るのも楽しいことでした。

――私たちは、周囲の世界を見ている。しかし、「見える世界」とは、目に入ってきた光の信号を、目の奥の網膜という面でとらえ、それを脳の中で処理して、「画像」として見ているのである。私たちは、目に見えない「時間」の流れを、「空間」の姿におきかえて測ってきたのである。「時間」と「空間」は一緒に存在しているのである。――

カントの場合、光の信号を網膜でとらえる段階を「表象」としています。「時間」と「空間」は、感性的直観の形式として『純粋理性批判』に登場します。カントは二一歳の時に「天界の一般自然史と理論」という物理学の論文を書いていますが、ニュートンの影響が大きかったようです。発想の転換は、物理学と大いに関連しているのではないかと思います。

第四節　『永遠平和の為に』のメッセージ

一七九五年一〇月、カントは七二歳を前に、『永遠平和の為に』を著しました。このタイトルは、オランダの宿の主人が描いた墓地の絵の上に彫られていた「永遠の平和亭」の看板から採られたものです。そこには、カントの皮肉が込められています。永遠平和は、全面戦争で人類が殲滅（せんめつ）した後、巨大な墓地の上に実現する、というものです。死者は二度と戦争を起こさないですから。

一七九五年四月にドイツとフランスの間で締結されたバーゼルの平和条約は、フランスの欺瞞（ぎまん）が隠されていると察知したカントは、即刻、『永遠平和の為に』を執筆して一〇月に出版するという早わざで、哲学的批判をもって条約の不正を訴えました。著は大きな反響を呼び、英語をはじめ数か国語に翻訳されてヨーロッパ中に広がりました。その後、その著はヨーロッパの近代国家の形成、外交政策に大きく貢献しました。また、カント没後の一〇〇年余の後、一九二〇年一月に成立した国際連盟は、『永遠平和の為に』が草案になったと伝わります。日本では明治初年頃に、西周が紹介しています。『永遠平和の為に』は、現代の複雑化した国際情勢を鑑みる時、あらためて見識の高さが認められているようです。

『永遠平和の為に』第二章の冒頭を紹介します。まさに現代を言っているのではないでしょうか?

第二章　国家間における永遠平和の為の確定条項を含む（高坂正顕・訳　一九六七）

国家間の永遠平和のために、とりわけ必要なこと。（池内　紀・訳　二〇一五）

「隣り合った人々が平和に暮らしているのは、人間にとってじつは「自然な状態」ではない。戦争状態、つまり敵意がむき出しというのではないが、いつも敵意で脅かされているのが「自然な状態」である。だからこそ平和状態を根づかせなくてはならない。」（池内・訳）

若い時に高坂版のこの章を読んで、ショックでした。戦後生まれの私は、平和が当たり前、戦争は特殊で遠い国の出来事と思っていたのです。以来、この章は、幾度となく脳裏をかすめます。

哲学サロン　参加者の発言・意見コーナー

Q. 科学技術の進歩発展は素晴らしいが、哲学は進歩しているのか？　自己満足の域にあるだけではないのか？

A. 確かに哲学は三〇〇〇年前から、先人の説を覆しては新説を打ち立てることを繰り返してきました。しかしその中での哲学の役割は、過ぎ去った時代を、出来事や人間の行動をとおして、善悪・必要性、安全性などの観点から、価値判断することだと思います。たとえば最先端技術を要するミサイルの開発は、人類の幸福にとって必要か否か、価値判断するのが哲学の役目だと思います。哲学者は、社会に向けて大いに発言すべきですね。

Q. 私はクリスチャンですが、カントの認識論は、キリストの復活は〝まぼろし〟と見なすのですか？

A. 決して〝まぼろし〟と見なしません。カントの認識論は、はっきりと認識できるまでの〇・五秒間を検討します。ですから、ぼんやりとかすんだ中に何かあるらしいと思っても、その段階は、まだはっきりとキリストを「認識した」ことにならないのです。

Q. 「哲学」と「哲学する」は異なると聞いたことがあります。どのように違うのですか？

A. カントは、「**哲学**を教えることはできない。**哲学すること**を教える」と言っています。カントは「歴史という記録はきわめて曖昧で信頼し難い」と記しています。同様に「哲学史」も信用し難いと。先人の哲学の知識は、後年の哲学者の解釈次第で、いかようにも変わり得る。しかし、「哲学すること」は、各自の自由な発想にもとづきますので、カントは学生に大いに奨励しています。知識の暗記よりも、自分で考えることの大切さは、今日の私たちも、あらためて考えてみたいですね。

Q. 私は理系出身ですが、一つの分野は他の分野と広くかかわるものだから大切に学ぶようにと当時の教授が話してくれました。哲学サロンに参加してそれを改めて感じます。

A. 確かに一つの分野ごとに境界があるとは思えない昨今ですね。哲学サロンを準備する際、科学史やニュートンの書などひととおり読みました。哲学と密接に関連していると感じました。学際・学融合の進む現代、文理の壁はますます低くなっていくのでしょうね。

Q. なぜカント哲学を学ばれたのですか？

A. 一つには、私の大学入学直後に弟が交通事故死した事がきっかけで、人生を考えるようになったことです。また、当時の哲学科の教授が私にカントの書を貸してくださり、卒業の時までお世話になりましたが、やはり教授との出会いが大きかったと思います。教授がカントに見えてきて心から尊敬いたしました。

Q. タイトルに「14歳からの哲学」とありますが、哲学するとはどういうことなのか、折があれば、学校などで教えてはいかがでしょうか。

A. 大きな励ましをいただいたように思います。ぜひ今後の課題としたいです。

Q. 感想ですが、今回の哲学サロンで、グローバルでボーダーレスな時代に、日本人は自らの良い点と変えていくべき点をどう整理していくべきか、とても考えさせられました。

A. 哲学サロンが少しでもお役に立てるなら、うれしいです。

「14歳からの哲学サロン」を終えるにあたって

足掛け二年にわたる「14歳からの哲学サロン」を終えるにあたり、お二人のカント哲学の専門家に、『永遠平和の為に』に関連して、「もしカントが今生きていたら、世界の今後をどう展望するだろうか」とお尋ねしましたところ、早々にご快諾の上、次のようなご文章をお寄せいただきました。

ロシア・カリーニングラード大学教授・L. A. カリニコフ先生からは、今日の欧米の「移民」の状況を中心に、そして大阪教育大学名誉教授・藤田昇吾先生からは、ご自身の幼児期の戦争体験にもとづくメッセージを送ってくださいました。ここに、原文と和訳も添えてご紹介いたします。

お二人の先生に感謝申し上げますとともに、哲学サロンにご参加いただいた方々、特に若い人たちの将来が、平和と友情に満ちた世界でありますよう切に祈りつつ、フィナーレと致します。皆様、ご参加いただきまして、ありがとうございました。

L. A. カリニコフ先生のメッセージ
What would be Kant's prospect in our time?

I can say that Kant's work "Zum ewigen Frieden" is still more important in our time than in his period. It is more important as now mankind has all conditions to execute Kant's program.

I think Kant would be astonished that his ethics theory is unknown for the greater part of mankind in conditions of general education and people do not know his moral, right and political ideas. Kant would give the advice to teach his practical philosophy in all schools and universities.

The first condition – Mankind can organize the world economics rationally for realization of complex ends in his interests.

The second condition – the condition of the world-civil intercourse with a view to prompt innovations.

Kant to my mind would want to supplement some articles; for example, in the first definitive article: The civil constitution in every state shall be republican – and socialist. About the third definitive article Kant would want to give the definition of the notion "guest" in the light of the modern immigration processes.

「カントが今生きていたら、世界の今後をどう展望するだろうか？」

カントの著『永遠平和の為に』Zum ewigen Frieden（独語）は、（二五〇年前の）カントの時代よりも、現代の方が、いっそう重要性を増していると言えます。今や人類は、カントの計画を遂行するべくすべての条件をそなえているのですから、いっそう重要です。

カントの倫理学説が、一般教養として、大方の人間に知られていないこと、カントの道徳、正義、政治理念を知らない人々がいることを知ったなら、カントはさぞ驚くことでしょう。カントの実践哲学は、すべての学校や大学で教えるべきだと進言するだろうと思います。

第一の条件は、人類は、自国の利益となるいろいろな目的を実現するかわりに、世界経済を合理的に編成することが可能だということです。

第二の条件は、**世界市民**（註一）の交流は、新しい制度などを迅速に進めることが条件です。カントはいくつかの条項を補足したいと考えるでしょう。例えば、『永遠平和の為に』の第一確定条項について。あらゆる国の**世界市民法**（註二）は、共和的体制および社会主義的体制のもとで設立されるべきものと考えるでしょう。第三確定条項について、現代の移民の対処状況からすると、〝**guest来客**〟（註三）の考え（観念）を定義したいと望むでしょう。

註一：世界市民は、離れた国同士が友好関係を維持し、やがて法的に結合して、地球上の市民がつながる国家連合を意味します。カントの理想とする世界です。
註二：世界市民法は、現代の国際法と同義語。国家間の条約・協定に相当。
註三：guestは「訪問の権利」を有する。両国が互いに提供し合える権利です。相手国に入国しただけで敵視される理由はありませんが、悪事をすれば退去させられます。他方、guestは、家族のように親密に扱われる「滞在権」は持たないとされます。ここでは、guestは「移民」に置き換えて考えることになります。

現代の「移民」は、欧米で大きな問題となっていますが、労働を目的として他国に移り住む人たちを指します。カントのguestと関連させて、移民は、どのように定義できるでしょうか？
私たち日本人は、移民の問題に疎い気がしますが、一度、考えてみたいものです。なお、池内紀先生の『永遠平和のために』は読みやすいですから、ぜひ手にしてみてください。

藤田昇吾先生のメッセージ　「平和を願望する意志と行動」

国際的協調よりも自国第一主義を主張する現在の米国大統領の思想は全く危険なものだ。各国間の相互理解と譲歩・妥協があってこそ世界平和は辛うじて保たれるのであるが、今やそれが失われつつある。一つには自然環境破壊である。人類の経済活動によって各種の汚染が生じている。それが紛争の原因となる。二つ目に、感染病の拡大と蔓延である。これは直接生命の危険がある。最後に軍備の拡張である。核兵器は全人類を何度も全滅させるだけ保有されている。

「永遠平和は全人類が絶滅した後に達成される」と逆説的な真理をカントが引用している。これらの極めて危機的状況に対して、スウェーデンの一六歳の少女グレタさんが悲痛な訴えを繰り返している。日本でも私たちは、正しい知識をもって理性的に行動を起して行こうではありませんか。性急で断片的にではなく…。

哲学サロンで、教養の基盤となる極めて標準的な西洋哲学史の講話を受講された皆さんは、正しい知識と判断力をもって自己の意志決定をして社会的視野に立って行動を展開して行かれることを期待してやみません。私自身は戦争中、大阪の幼稚園で軍国主義教育を受け、英米に対する敵愾心が正しいものだと信じていました。終戦後の大人達の態度の急変には子供心に驚き呆れました。どうぞ長い広い視点に立って冷静沈着に発言・行動してください。

おわりに

六〇年以上も前の子供の頃を思い出します。地方に育った私の周囲にはけっこう迷信がありました。

「夜にツメを切ると親の死に目に会えない」とか、「ヘビを見たら親指を隠さないと腐る」などとよく耳にしました。迷信は古くからの言い伝えですが、その多くは生活上の戒めを含んでいたように思います。それでもデメリットもあったように思います。情緒的に「△△はダメ」の禁止を多く含む迷信は、知らず知らずのうちに子どもを臆病な性格にするのではないかと。

地元を離れて都会の大学で学ぶにつれ、私は迷信から解放されて、科学的・合理的な姿勢で論理を追う哲学に大きな魅力と安堵を感じました。

ただし迷信はすべて悪くて、科学的な考え方がすべて良いとは限らないと思います。前者はいかにも日本的なややわらかい情緒や感情を育てますし、後者はわりきり上手、時には少々冷たい感じがします。バランスを保ちつつ、使い分ける必要がありそうです。

ところで、ものごとを科学的・合理的に考える必要性を強く感じたのは、二〇代後半に家族ぐるみで米国のボストンで過ごした時でした。西洋では、日本人特有の以心伝心のコミュニケーションは通じないこと、イエス・ノーをはじめ、自分の意見を言葉ではっきり表現することが肝要と強く感じました。そのような日々、学生時代に学んだ「西洋哲学」は、西洋の人と対等に交流する時の自分のゆるぎない基盤となり、共有できる価値観を見つけやすいと感じたものです。哲学は、情緒ではなく、科学的・合理的な考え方の基盤をつくることにとても役立つ学だと思います。

フランスでは、中学・高校のカリキュラムに「西洋哲学」があり、ひと通り学ぶのだそうです。日本は多くの場合、大学に入ってからです。遅すぎる！　中学・高校の段階でざっくり哲学に触れる機会があると、若い人たちは自信をもって、早くから西洋の人と積極的に交流できるのではないでしょうか。島国日本の若い人たちに、臆することなく西洋の友人を作ってほしいと願っています。もちろん西洋以外の人とも友情の輪を広げてほしいですが、歴史的に見て、日本は西洋との交流が長いですから、まず西洋から取り掛かってみてはと考える次第です。

「14歳からの哲学サロン」は、東京都中野区と神奈川県鎌倉市で、計八回開催することができました。中野の会場では、中学生男女数人が出席して積極的に発言してくれました。見知らぬ大人に混じって発言するのは勇気が要ったでしょうに、とても熱心でした。鎌倉市では毎回、定員をはるかにオーバーして、熟年の方々が熱心に参加してくださいました。

九〇年代にフランスのパリで誕生した「哲学カフェ」は、日本全国一〇〇か所余りで開催されていますが、「14歳からの哲学サロン」はそれに準じた形です。今後とも見知らぬ人たちが気軽に立ち寄り、コーヒーを片手に自由に話し合える場が生まれたなら、社会は、世代・性別・職業・人種・文化・宗教などのちがいを越えた、多様性に富んだ景色に変わるのではないでしょうか。それを期待したいです。

今回の開催にあたっては、一般社団法人中野区産業振興推進機構（ＩＣＴＣＯ）、公益財団法人鎌倉婦人子供会館の関係者の方々にたいへんお世話になりました。心から御礼を申し上げます。

最後になりましたが、前著『哲学ルポ　カントは今、ロシアに生きる』に続き、今回も、（株）銀の鈴社の西野大介様・西野真由美様・阿見みどり（本名・柴崎俊子）様をはじめ多くの方にたいへんお世話になりました。ここに深謝申し上げます。

令和二年夏　板生いくえ

参考図書

〈通史〉

・西洋哲学史（改訂版）	岩崎武雄	有斐閣　1966

〈古代ギリシア哲学〉

・ギリシアの詩と哲学	田中美知太郎編	平凡社　1965
・ソクラテスの弁明・クリトン	プラトン（久保勉訳）	岩波文庫　1927
・ソークラテースの思い出	クセノフォーン（佐々木理訳）	岩波文庫　1953
・パイドン	プラトン（岩田靖夫訳）	岩波文庫　1998
・国家	プラトン（藤沢令夫訳）	岩波文庫　1979
・ニコマコス倫理学	アリストテレス（高田三郎訳）	岩波文庫　1971
・プロタゴラス	プラトン（藤沢令夫訳）	岩波文庫　1988

〈中世哲学〉

・アウグスティヌス	富松保文	NHK出版　2003
・トマス・アクイナス	山田晶編	中公バックス1980
・儒教三千年	陳舜臣	中公文庫　2009
・対談・東洋の心	諸橋轍次・中村元	大修館書店　1976
・聖書　口語訳	日本聖書協会訳	日本聖書協会　1989

〈近世哲学〉

・西欧近代科学《新版》	村上陽一郎	新曜社　2002
・近代科学の誕生	H.バターフィールド（渡辺正雄訳）	講談社学術文庫　1978
・ノヴム・オルガヌム（新機関）	F.ベーコン（桂寿一訳）	岩波文庫　1978
・方法序説	R.デカルト（谷川多佳子訳）	岩波文庫　1997
・リヴァイアサン	ホッブズ（水田洋訳）	岩波文庫　1954
・純粋理性批判	カント（篠田英雄訳）	岩波文庫　1961
・実践理性批判	カント（宮本和吉・外訳）	岩波文庫　1979
・人間学	カント（全集第14巻）	理想社　1976
・永遠平和の為に	カント（高坂正顕訳）	岩波文庫　1949
・永遠平和のために	カント（池内紀訳）	集英社　2015
・カントの永遠平和の理念	藤田昇吾	大阪教育大学紀要別刷　1987
・カントその人と生涯	L.E.ボロウスキー外(1804)芝烝・訳	創元社　1968
・カント読本	浜田義文編	法政大学出版局　1994
・敗戦後の日本を慈悲と勇気で支えた人	野口芳宣	銀の鈴社　2018

14歳からの哲学サロン　於：中野会場

著者略歴

板生いくえ（板生郁衣・いたおいくえ・旧姓：大峯）
1946年　東京生、茨城県ひたちなか（旧勝田）市にて生育
1969年　東京女子大学文理学部哲学科卒（カント哲学）
2008年　東京女子大学大学院文学研究科哲学専攻修士課程修了（カント哲学）

職歴

1987年　塾・高校講師（英語）
2007年　同上定年退職
現在　メンタルケア心理士（週2回開設）
公益財団法人鎌倉婦人子供会館　評議員

日本カント協会（学会）　正会員
人間情報学会　正会員
科学技術センサージャーナル『ネイチャーインタフェイス』（NPO ウェアラブル環境情報ネット推進機構）
・編集委員
・哲学エッセイ連載

著書

・『ぼくはボストン生まれ』（朝日新聞紹介1987）　青山第一出版　1987
・『科学の芽は台所から』（全国図書館協議会選定図書・東京新聞広告2000）　朱鳥社　1999
・『哲学ルポ　カントは今、ロシアに生きる』（図書新聞・書評2017）　銀の鈴社　2017

NDC107
神奈川　銀の鈴社　2021
158頁　18.8㎝（14歳からの哲学サロン～古きをたずねて新しきを知る～）

銀鈴叢書
2020年10月 2 日初版発行
2021年 8 月24日重版発行
本体1,800円＋税

14歳からの哲学サロン
～古きをたずねて新しきを知る～

著　　者　板生いくえ
発 行 者　西野大介
編集発行　㈱銀の鈴社 TEL 0467-61-1930　FAX 0467-61-1931
〒248-0017　鎌倉市佐助1-18-21　万葉野の花庵
https://www.ginsuzu.com
E-mail　info@ginsuzu.com

ISBN978-4-86618-097-7 C0010
落丁・乱丁本はおとりかえいたします。

印　刷・電算印刷
製　本・渋谷文泉閣